臨床工学技士国家試験

Check UP!

2025

- 生体機能代行装置学
  呼吸療法装置
  体外循環装置・補助循環装置
  血液浄化療法装置

臨床工学技士国家試験研究会 編

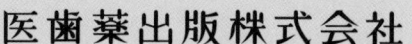
医歯薬出版株式会社

本書の使い方

　本書では過去10年分以上の国家試験（以下，国試）を分析・分類し，特に直近5年分の出題傾向に沿って効率よく学習できるように構成しています．

　領域ごとに分類された，インプット＜要点のまとめ＞とアウトプット＜Check UP!（国家試験問題）＞を何度も繰り返し，国試合格に必要な知識を確実なものにしましょう．

インプット＜要点のまとめ＞

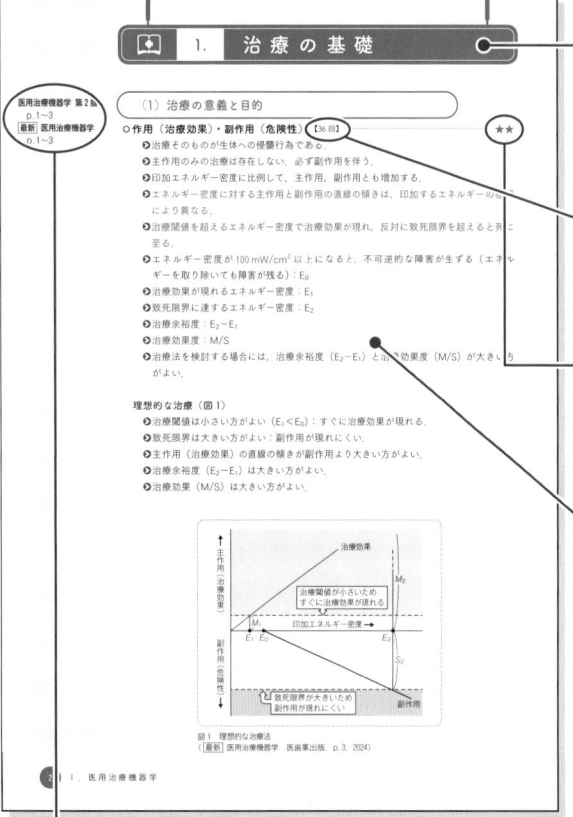

国試は国家試験出題基準に沿って出題されます．本書の章の見出しは「令和3年版臨床工学技士国家試験出題基準」の大項目に対応しています．
（内容を理解しやすいように構成を変えているところもあります）

直近5年（33回～37回）の国試で出題された回を表示しています．

頻出問題を★マークで表示しています．
- ★★★：頻出！直近5年の国試で3回以上出題あり
- ★★：直近5年の国試で1～2回の出題あり
- ★：5年以上前の国試で3回以上の出題あり
- 星なし：5年以上前の国試で3回未満の出題

既出国試問題の選択肢を正しい内容の文章に整理しています（一部は，わかりやすいように解説を多めにしました）．特に重要な箇所を色文字で強調しています．

教科書（臨床工学講座および最新臨床工学講座：医歯薬出版発行）の参照ページ．教科書とあわせて読むと理解が深まります．また，授業で習った重要ポイントを転記したり，図表をコピーして本書に貼れば，最強のオリジナル国試対策書に！

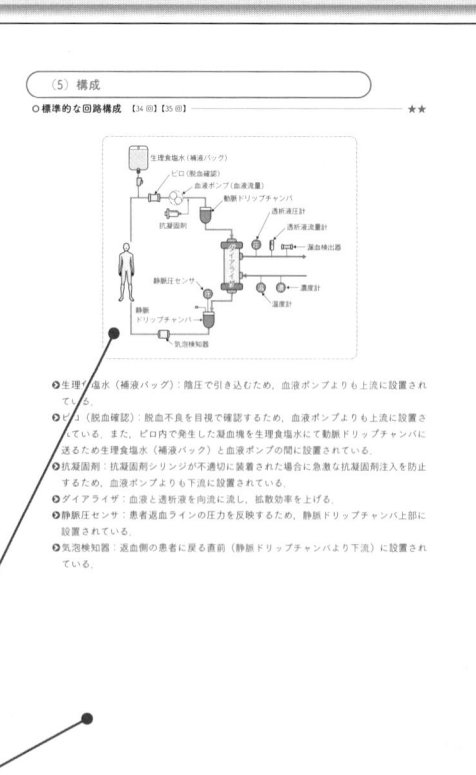

文章だけではわかりにくいところは，図表を用いて解説しています．

余白を多めにしています．自由に使って，オリジナル国試対策書を作りましょう．

アウトプット＜Check UP!（国家試験問題）＞

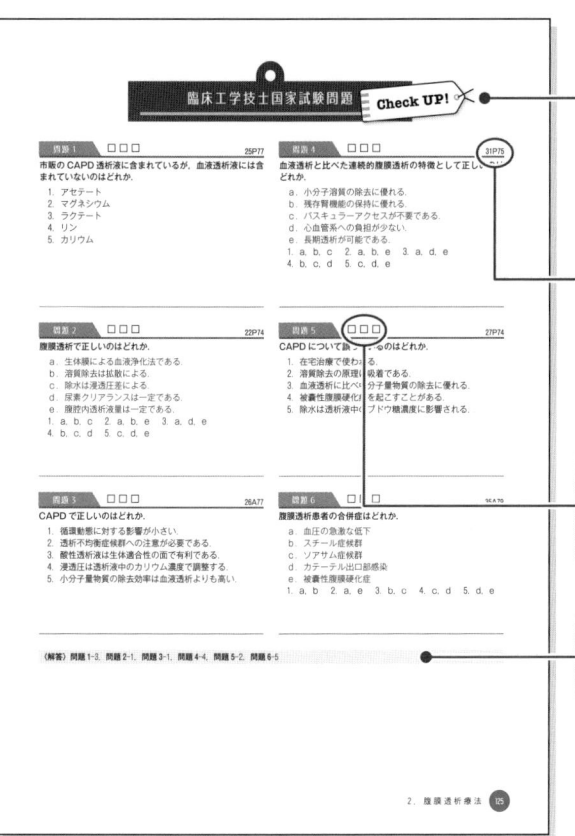

既出国試問題で重要な問題を掲載しました.

国試出題回を表示しています. 古い問題については, 必要に応じて内容を最新の情報に更新しています.
例）35A01　　→　35回国試午前問題1
　　24P50改　→　24回国試午後問題50を改変
　　　　　　　　　（内容の更新など）

チェックボックスを活用しましょう.
　問題を解いたら☑, 正解できたら☑, 不正解だったら☑ など

正解を導けなかったときは要点のまとめページに戻り, 確認しましょう.

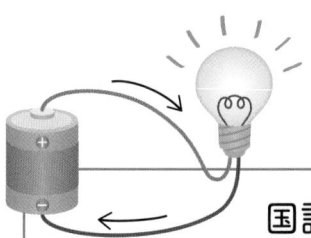

国試に合格した先輩はこんな使い方をしました！

・余白にどんどんメモを書き込んだり, 追加事項を大きな付箋にまとめて貼り付けたり, 教科書で重要な図表はコピーして貼り付けました. 国試直前にはこのオリジナル本を見直しして, 自信をもって国試に臨めました！

・内容の理解が不十分なページには付箋を貼って, 理解ができたら付箋を剥がしていきました. 最初は付箋だらけでしたが, 勉強を進めると付箋が減っていき, 最後には自分の弱点が残ります. 幅広い国試の範囲を1つずつ攻略できました！

序

　臨床工学技士国家試験は第37回が終了しました．近年，臨床工学技士に求められる業務内容に変化があり，国家試験出題内容も変化しつつあります．

　臨床工学技士国家試験の出題範囲は，医学系，工学系，医用機器，安全管理と多岐にわたり，多くの内容を理解する必要があります．しかし，臨床工学技士国家試験対策の参考書は他職種と比べると種類が少なく，充実した内容のボリュームの大きい書籍，または簡潔にまとめられたコンパクトな書籍はありますが，その中間的なものはありませんでした．

　そこで，臨床工学技士養成校の教員が学生からの声を集め，学生の求める視点に立ち，国家試験対策テキストを作成しました．そのテキストは毎年バージョンアップを繰り返し，その結果多くの臨床工学技士国家試験合格者を誕生させています．学生の声を集めた国家試験対策テキストのノウハウを多くの全国の学生さんに活用してもらいたいと思い，本書の発行となりました．

　臨床工学技士国家試験はこれまで大きな変更はありませんでしたが，現在の業務内容と国家試験問題との相違により見直しが行われ，2022年3月の第35回臨床工学技士国家試験からは新たな出題基準により実施されています．本書は令和3年版国家試験出題基準（2022年）をもとに構成，最新の国家試験問題も掲載しています．また，「医学系」，「工学系」，「治療・計測，安全管理」，「生体機能代行装置」の全4巻で，臨床工学技士国家試験出題範囲をすべてカバーできます．

　本書は，各章要点のまとめ（本文）と既出国試問題（Check UP!）の2部構成となっており，まとめを理解した後は実際の国試問題を解くことにより，理解度確認まで行える構成となっています．国試問題の解説はすべて本文にまとめてあるため，何度も戻って繰り返し確認・見直しを効率的に行うことができます．また，工学系分野では，できるかぎり解説を詳しくし理解しやすい内容を心がけました．

　国試問題を分析すると多くの重複したキーワードが出題されているため，本書では必ず覚えなければいけないキーワード・重要ポイントは色文字で強調しています．そのため，1年生からでも，普段の試験対策，授業の予習・復習のまとめとしても活用できます．

　臨床工学技士国家試験に合格するためには，コツがあります．いきなり国試問題を平たく勉強する方法は効率が悪いため，まずは自信のある分野ごとに勉強し，自分に足りない知識を1つ1つ確実に理解していくことが重要です．そのうえで何度も国試問題を解き，少なくとも過去5年の問題は必ず理解（答えを暗記するのではなく，各選択肢の内容を理解）してください．

　これまで国試に合格した学生の多くは，本書の前身のテキストをサブノート的に使用し，必要な情報を補足しながら自分だけのノートを作っていました．そのため本書は，書

き込みができたり付箋が貼れるよう，ある程度の余白を残しています．本書を最大限に活用することで，臨床工学技士国家試験合格の一助となれば大変嬉しく思います．

　最後に，発刊にあたりご尽力いただきました医歯薬出版のスタッフにお礼を申し上げます．

　2024 年 7 月

臨床工学技士国家試験研究会

目　次

Ⅰ. 呼吸療法装置　　1

Ⅱ. 体外循環装置・補助循環装置　　51

Ⅲ. 血液浄化療法装置　　89

● 正誤表・訂正

　本書の内容について訂正箇所がある場合には，医歯薬出版ホームページ内「正誤表」を随時更新しお知らせいたします．以下の URL または QR コードからウェブページにアクセスしてください．

https://www.ishiyaku.co.jp/corrigenda/details.aspx?bookcode=732340

Ⅰ. 呼吸療法装置

呼吸療法装置　第2版
p.18～28

（1）解剖生理

○ **死腔について**

> ❯ 死腔換気率（V_D/V_T）は1回換気量のうち死腔量の割合を示し，基準値は約0.3（30%）である．
>> ・成人男性の1回換気量は約500 mL，死腔量は約150 mLのため，150/500＝0.3
> ❯ 肺血栓塞栓症では死腔が増加する．
> ❯ 呼吸細気管支はガス交換できるため，死腔ではない．
> ❯ 呼吸パターンにより死腔の減少や増大をきたす．
> ❯ 換気量が一定で死腔が増大すると$PaCO_2$が上昇する．

〈解剖学的死腔〉
> ❯ 口腔または鼻腔から肺胞に至るまでの気道内容積．
> ❯ 成人の基準値は約150 mL（約2.2 mL/kg）．

〈肺胞死腔〉
> ❯ 換気があって血流が途絶した肺胞．
> ❯ 成人では約30～50 mLの肺胞死腔がある．

〈生理学的死腔〉
> ❯ 生理学的死腔＝解剖学的死腔＋肺胞死腔
> ❯ 健常人においては生理学的死腔≒解剖学的死腔となる．

〈機械的死腔〉
> ❯ 人工呼吸器や回路やマスクなどの生体とのインターフェース部分のスペースを表す．

○ **酸素運搬**

動脈血の酸素運搬量に直接影響する因子
> ❯ 心拍出量
> ❯ ヘモグロビン値
> ❯ 酸素飽和度

末梢組織への酸素運搬能
> ❯ 血液中の大部分のO_2は赤血球中のヘモグロビンと化学的に結合して組織に運ばれる．
> ❯ 1 gのヘモグロビンは1.34 mLのO_2と結合するので，健常者のヘモグロビン量を15 g/dLとすると血液100 mLあたり約20 mLと結合する．
> ❯ ヘモグロビン量が増加すれば酸素運搬量は大きく改善する．
> ❯ 酸素運搬量を大きく改善する変化
>> ・ヘモグロビン濃度の増加．
>> ・心拍出量の増加．
>> ・心係数の増加．
>> ・酸素飽和度の増加．

○ **肺胞気動脈血酸素分圧較差（A–aDO_2）**
> ❯ 肺胞気酸素分圧と動脈血酸素分圧の差．

- ❷肺胞における酸素の拡散の程度を反映するものであり，大気圧，空気吸入時には 10 mmHg 以下となる．
- ❷A-aDO$_2$ 開大の原因は I 型呼吸不全．
- ❷II 型呼吸不全では A-aDO$_2$ は開大しない．
  - ・高二酸化炭素血症を呈する：肺胞低換気のため酸素の拡散障害がない．
- ❷ガス交換障害
  - ・換気血流比不均等分布
  - ・シャント
  - ・拡散障害
- ❷A-aDO$_2$＝P$_A$O$_2$－PaO$_2$
     ＝P$_I$O$_2$－PaCO$_2$/0.8－PaO$_2$ [mmHg]

国試 【28 回】

F$_I$O$_2$ 0.7 で PaO$_2$ 150 mmHg，PaCO$_2$ 40 mmHg のとき，およその A-aDO$_2$ [mmHg] はいくらか．

解答

A-aDO$_2$＝P$_A$O$_2$－PaO$_2$

＝P$_I$O$_2$－PaCO$_2$/0.8－PaO$_2$ [mmHg]   ※呼吸商：0.8

＝(760－47)×0.7－40/0.8－150

＝299.1 [mmHg]

（2）酸素療法装置

呼吸療法装置　第 2 版
p.81〜92

◯酸素療法 【34 回】 ────────────────────── ★★
- ❷生体の酸素需要に対し酸素供給が不足した際に，吸入酸素濃度（F$_I$O$_2$）を高め，酸素欠乏の程度に応じた適切な酸素量を投与する治療法．
- ❷酸素は高圧低温下で空気を液化分離して製造される．
- ❷酸素自体は燃焼しないが，支燃性がある．
- ❷酸素ボンベは高温・直射日光を避けた場所に保管する．
- ❷液体酸素が漏れた場合，凍傷などを起こす危険性がある．
- ❷在宅でも液化（液体）酸素を利用することができる．
- ❷副作用
  - ・気道の乾燥
  - ・酸素中毒（50％以上の高濃度酸素を長時間吸入した場合）
  - ・CO$_2$ ナルコーシス→3 徴候：意識障害，自発呼吸の減弱，高度呼吸性アシドーシス
  - ・吸収性無気肺
  - ・呼吸抑制
  - ・気管線毛上皮障害
  - ・未熟児網膜症

○低流量システム，高流量システム 【35回】 ─────────────── ★★

低流量系

❯ 鼻カニューレ，鼻カテーテル
  ・鼻カニューレ法では，吸気酸素濃度は25〜30％である．
❯ 経気管カテーテル
❯ フェイスマスク（ベンチュリ装置なし）
❯ リザーバ付きフェイスマスク：通常のフェイスマスクに，酸素リザーバと吸気用一方弁を取り付けたもの．簡易酸素マスクで酸素化が保てない場合に用いる．
❯ 簡易酸素マスク：5〜10 L/min の流量で供給．

	酸素流量 [L/min]	吸気酸素濃度 [％]
両経鼻カテーテル	3〜5	25〜30
エアロゾルマスク	5〜8	40〜60
フェイステント	4〜5	30〜40
ベンチュリマスク	4〜8	24, 28, 35, 40
気管切開マスク	5〜8	40〜60

高流量系（ハイフロー療法）【33回】【35回】【36回】【37回】 ────── ★★★

❯ 吸入酸素濃度は21〜100％の任意の値を設定できる．
❯ 解剖学的死腔のガスを洗い流す効果がある．
❯ PEEP（positive end-expiratory pressure：呼気終末陽圧）が期待できる．
❯ 人工鼻の使用はできない．
❯ 酸素ガスを30〜60 L/min の高流量で投与する．
❯ 吸気抵抗の軽減が期待できる．
❯ 加温加湿器による気道分泌物排出促進が期待できる．
❯ 通常は専用の鼻カニューレを用いる．
❯ ブレンダ型では高圧空気と酸素を混合して高濃度酸素を供給する．
❯ ベンチュリ型では医療ガス設備酸素のみで高濃度酸素を供給する．
❯ 装着しながら会話や経口摂取を行うことができる．
❯ 慢性閉塞性肺疾患では在宅で使用できる場合がある．

構成

❯ 鼻カニューレ
❯ 流量計
❯ 酸素ブレンダ
❯ 加温加湿器

○酸素濃縮器

❯ 使用前の届出は必要ない．
❯ 在宅酸素療法として使用できる．
❯ 家庭用電源で使用できる．
❯ 連続使用でき，長期に安定した酸素供給ができる．

膜型酸素濃縮装置 ★

- ❯ 酸素透過係数の大きい高分子膜（シリコンゴムなどのポリマー）を利用する.
- ❯ 酸素の移動は拡散.
- ❯ 膜型には酸素富化膜や中空糸が利用されている.
- ❯ 得られる酸素濃度は 35〜40％程度.
- ❯ 最大ガス流量は約 6 L/min.
- ❯ 空気中の水分は失われないので, 加湿器は必ずしも必要としない.
- ❯ 高分子膜は消耗しないので半永久的に使用できる.
- ❯ 停電時以外は安定して酸素供給が可能である.
- ❯ 装置の安全性は JIS で規定されている.
- ❯ 真空ポンプを使用して負圧を作る.

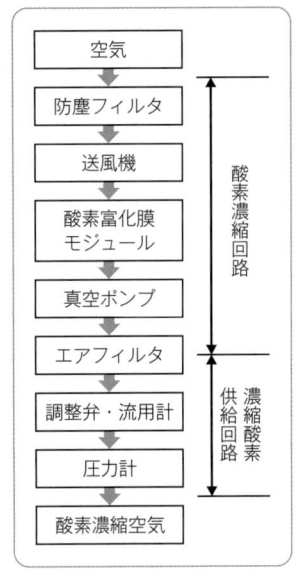

吸着型酸素濃縮装置 【37回】 ★★

- ❯ 窒素を選択的に吸着する吸着材（ゼオライト：アルミノケイ酸塩の総称）を内蔵した吸着筒内にコンプレッサで圧縮空気を送る.
- ❯ 2 本の吸着筒を利用し, 生産工程と再生工程を交互に行う圧スイング法で空気中の窒素を吸着する.
- ❯ 濃縮した酸素ガスはサージタンクに貯蔵した後, 乾燥しているため加湿器で加湿され患者に供給される.
- ❯ 空気中の水分も吸着するため加湿器が必要.
- ❯ 酸素濃度は 90〜93％で最大 5〜7 L/min 供給可能なものがある.
- ❯ 低圧のためボンベに充填することはできない.
- ❯ モジュールは約 20 カ月で交換する.
- ❯ 装置の安全性は JIS で規定されている.

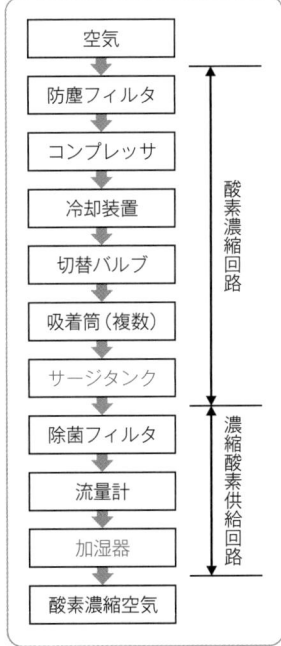

酸素濃縮器まとめ

	膜型酸素濃縮装置	吸着型酸素濃縮装置
酸素濃縮原理	・酸素透過膜（高分子膜）の一側を減圧することにより，減圧側の酸素を濃縮し，濃縮酸素ガスを作り出す．	・ゼオライト吸着材（アルミノケイ酸塩）を充填した吸着筒を用いて空気中の窒素を高圧下で吸着する． ・ゼオライト吸着材は水分も吸着する． ・ゼオライト吸着材には多数の細孔があり，高圧下で窒素を選択的に吸着，減圧下で再放出する特性を持つ． ・通常，機器本体には2本の吸着筒が組み込まれており，一方で加圧して酸素濃縮しているとき，もう一方では減圧して吸着された窒素を遊離させて交互に用いている（PAS方式）．
酸素濃度，酸素供給流量	・得られる酸素濃度は40％まで ・流量非依存性	・最高90％以上の酸素濃度が得られる ・流量依存性
加湿の必要性の有無	・不要	・必要（一般的には2 L/min以上の高流量の場合）
消費電力	・吸着型より小さい（160 W前後）	・一般に，膜型よりやや大きい（250～440 W） ・最近の機種は省電力化が進んでいる

○ マスク

ベンチュリマスク 【37回】 ★★

- ❯ 患者に投与するガスの流量別に低流量器具と高流量器具などに分けられるが，ベンチュリマスクは高流量器具である．
- ❯ 安定した酸素濃度のガスを，患者の吸気流量を上回る流量で患者に吹き付ける．
- ❯ 高流量のガスを得る原理は，ガス配管から供給される酸素ガスを細管に通し，流速を増加させることで得られる負圧（ベンチュリ効果）を利用したものである．
- ❯ 空気流入量（空気を引き込む量）は，ダイリュータに開いた孔の大きさおよび酸素流量により決定される．
- ❯ 吸入酸素濃度が患者の呼吸様式に影響されない．
  - ・一定の吸入酸素濃度が維持される．
- ❯ 患者に適した吸入酸素濃度が得られる．
- ❯ 設定酸素濃度のガスを投与できる．
- ❯ マスクを通じて患者に吹き付けるため，ガス流による眼球刺激がある．
- ❯ 不安の強い患者には適さない．
- ❯ マスクの死腔量は他の装置と比べて小さい．
- ❯ II型呼吸不全患者への酸素投与は，安定した吸入酸素濃度（酸素濃度のコントロールが可能）が得られるベンチュリマスクが適している．
- ❯ 慢性呼吸不全患者に有用である．

例題

　ベンチュリ効果を応用した高流量酸素投与装置で，酸素濃度 35 %，酸素流量 8 mL/min としたときに得られる総流量はいくらか．

解答

$$総流量 [L/min] = \frac{100 - 空気中酸素濃度 [\%]}{目標酸素濃度 [\%] - 空気中酸素濃度 [\%]} \times 酸素流量 [L/min]$$

で求める．上記の式に設定の数値を代入すると，

$$総流量 = \frac{100 - 21[min]}{35[\%] - 21[\%]} \times 8[L/min] ≒ 45.1[L]$$

（3）吸入療法装置

呼吸療法装置　第 2 版
p.115～119

- ❥ 吸気中に浮遊する液体粒子は，その大きさによって到達部位が異なる．
  - ・大粒子（直径 5 μm 以上）：咽頭に直接当たる．
  - ・中粒子（直径 1～5 μm）：上気道から細気管支まで到達する．
  - ・小粒子（直径 1 μm 以下）：肺胞まで到達する．
- ❥ リザーバの水はセラチア菌などに汚染されやすい．
- ❥ ネブライザは液体を粒子として吸入ガスに浮遊させて加湿する．
- ❥ ネブライザはエアロゾル（霧，ミスト）をつくる装置である．

○ ジェットネブライザ 【35 回】 ────────────────── ★★

- ❥ 気道への加湿を目的として使用される．
- ❥ ベンチュリ効果（ベルヌーイの定理）を利用したもの．
- ❥ 細管内の薬液が吸い上げられて気流に乗る．
- ❥ ジェットノズルによって流速が増す．
- ❥ 高速気流に乗せた薬剤をバッフルに衝突させてエアロゾルを発生させる．
- ❥ エアロゾルの粒子は超音波ネブライザよりも大きく（1～15 μm 程度の粒子径）末梢気道まで届きづらい．
  - ・末梢気道まで届きづらいためエアロゾルの肺内沈着率は 10 % 程度．
- ❥ T ピースに接続したジェットネブライザでは再呼吸に注意する．

○ 超音波ネブライザ ──────────────────────── ★

- ❥ 気管切開の患者でも使用できる．
- ❥ 1.3～2.3 MHz の振動により径 0.5 μm 以下の粒子をつくる．
- ❥ ジェットネブライザに比べ粒子が小さいため効率よく末梢気道まで届けられるが，その分過剰投与（過剰加湿）の可能性がある．
- ❥ 小児や新生児に使用する場合は過剰投与に注意する．
- ❥ 細菌汚染のリスクがある．

問題点

❯薬剤変性

❯低酸素血症：肺胞内まで達するエアロゾルの過剰投与による.

❯ガス交換障害

❯水分過剰供給

○**メッシュネブライザ**

❯ホーン振動で微細な噴出孔から薬液を押しだし，噴出する.

❯多数の微細な孔をもつプレートを超音波で振動させ薬剤をエアロゾル化する.

❯臥位に限らずどのような姿勢でも吸入可能.

❯メッシュの特徴

・合金製で高い耐久性がある.

・詰まりにくく，手入れが簡単.

○**ネブライザ付酸素吸入器** 【37回】 ────────────────────────────── ★★

❯ベンチュリマスクにネブライザ機能を備え，十分な加湿が必要な場合に適する.

❯設定酸素濃度のガスを投与できる.

呼吸療法装置　第2版
p.136〜150

（4）人工呼吸器

○**各種換気モード概論**

自発呼吸をベースに施行する換気モード

❯APRV（気道圧開放換気）

❯PSV（圧支持換気）

❯IMV（間欠的強制換気）

❯CPAP（持続的気道内陽圧）

吸気ガスの流量波形

❯矩形波が認められる.

・SIMV

・VCV

❯漸減波（減速型）が認められる.

・PCV

・PSV

定常流方式

❯量規定換気（VCV）や同調式間欠的強制換気（synchronized intermittent mandatory ventilation：SIMV）など従量式換気で用いられている.

❯アシストモードで使用できる.

・回路内に常時流し，患者の吸気努力によって設定流量より減少

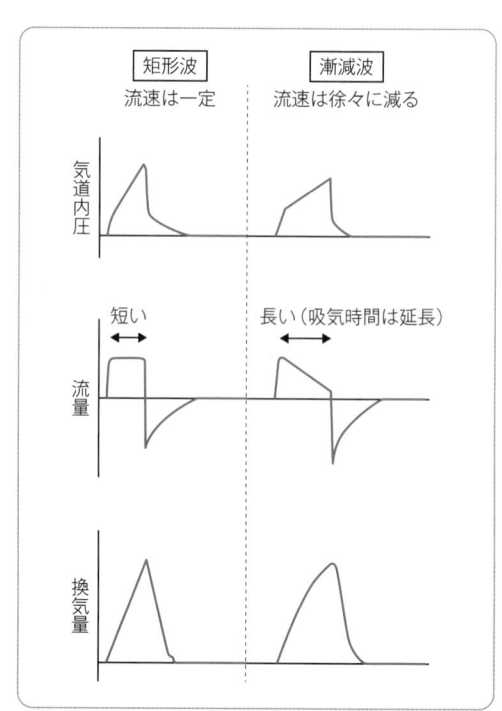

したとき，それをトリガして強制換気し，吸気努力がなければ設定した換気回数と1回換気量分だけのサポートをするモードにも使用できる．

❍流量と吸気時間の積が1回換気量となり，吸気時間とともに換気量が増えていく．

❍気道内圧も吸気時間とともに上昇し，吸気相の最後に最高値となる．

❍換気量は気道抵抗に影響しない．

❍換気量はコンプライアンスに影響されない．

・最高気道内圧は，気道抵抗や肺胸郭コンプライアンスによって変化する．

同じピークフローで	矩形波	漸減波
吸気時間	短い	長い
最高気道内圧	高い	低い
平均気道内圧	低い	高い

A/C（アシストコントロール） ────────────────── ★

❍量規定換気，または圧規定換気のどちらかのフローパターンで強制換気を送る換気モードである（同時に2つの設定はできない）．

❍PEEPを併用できる．

❍自発呼吸が停止しても無呼吸にはならない．

・無呼吸患者においても設定回数に従って必ず強制換気が行われる．

VCV（volume control ventilation：量規定換気）【36回】 ──────── ★★

❍1回または分時の換気量，吸気時間を設定できる．

❍送気ガスは定常流（矩形波）で送気する．

❍気道抵抗や肺胸郭コンプライアンスに関係なく換気量が確保される利点がある．

・気道抵抗や肺胸郭コンプライアンスによって最高気道内圧が変動する．

❍気道内圧，胸腔内圧が異常に上昇する可能性があり，圧損傷の危険性がある．

❍気道内圧が上昇する原因

・ファイティング

・肺胸郭コンプライアンスの低下

・痰などの分泌物の貯留

・呼吸回路の閉塞

・片肺挿管

・気管支痙攣

❍CV（compression volume：コンプレッションボリューム）

・人工呼吸器の蛇管は柔らかい素材でできているため，回路内圧が上昇すると回路自体が伸展し回路内ボリュームが増加することをCVという．

・CVは量規定換気で肺胞換気量減少の原因になる．

・加温加湿器チャンバはCVの一部になる．

・柔らかい回路のCVは大きい．

・長い回路ほど蛇管が長いため，CVは大きくなる．

・CVが大きいほど吸気トリガ感度は鈍くなる．

例題

量規定換気でフロー 24 L/分，換気回数 20 回/分，吸気呼気比 1：2 のとき，1 回換気量 [mL] はいくらか．

解答

$$フロー 24\,L/分 = \frac{24000\,\text{mL}}{60\,秒} = 400\,\text{mL}/秒$$

換気回数 20 回/分＝3 秒ごとに 1 回の呼吸を行う．

吸気呼気比 1：2 は，吸気で 1 秒，呼気で 2 秒の呼吸をしていることを意味する．

したがって，吸気 1 秒×400 mL/秒より，1 回換気量は 400 [mL] となる．

PCV（pressure control ventilation：圧規定換気）

- ❱吸気圧値と吸気時間を設定して換気を行う調節換気．
- ❱送気ガスは漸減波による早い立ち上がりを示す．
- ❱自発呼吸があると使用できない．
- ❱1 回の強制換気時に設定圧を維持し，設定吸気時間終了時点で呼気となる．
- ❱1 回換気量を規定できない．
- ❱気道内圧は吸気相の初期より設定吸気圧に達する．
- ❱設定吸気時間中はその設定値が維持され，不均等換気の是正につながる．
- ❱カフ漏れを起こした場合，設定吸気圧に達しないため換気量が低下する．
- ❱圧規定換気では，リークがあると設定した気道内圧まで上昇しにくくなるため吸気時間が長くなる（呼気時間に影響はない）．
- ❱片肺挿管でも換気は行われるが，片肺分の容量しかないため換気量が低下する．
- ❱吸気フローは気道抵抗に左右される．
  - ・肺コンプライアンスが上昇すると，換気量増加となる．
- ❱換気回数を設定するため自発呼吸数増加では換気量低下とはならない．
- ❱利点
  - ・吸気圧を設定するため圧損傷が防止できる．
  - ・低い吸気圧で換気量が得られるため，循環動態の抑制作用を軽減できる．
- ❱欠点
  - ・末梢気道抵抗や肺胸郭コンプライアンスが変化すると換気量が変動する．

まとめ：VCV と PCV の利点・欠点

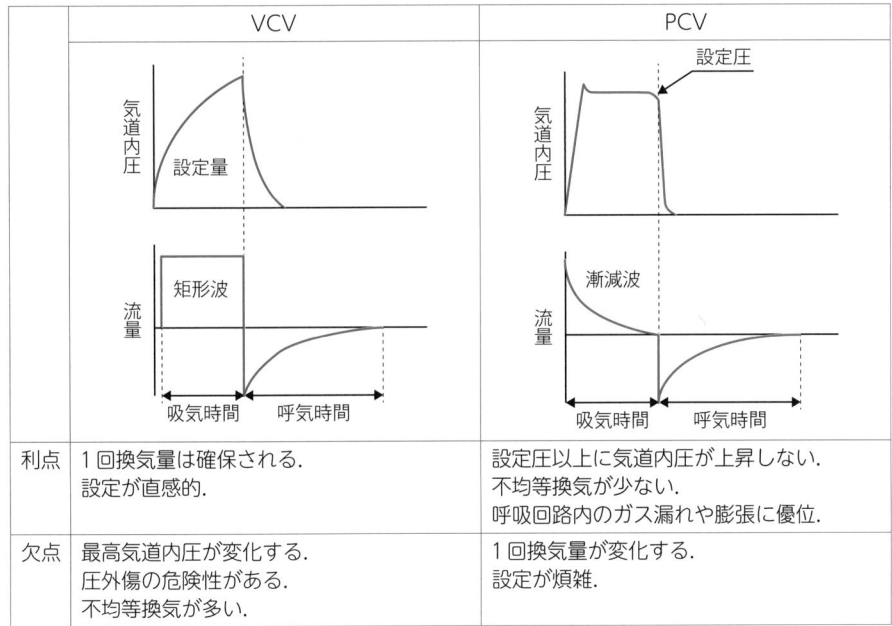

	VCV	PCV
利点	1回換気量は確保される. 設定が直感的.	設定圧以上に気道内圧が上昇しない. 不均等換気が少ない. 呼吸回路内のガス漏れや膨張に優位.
欠点	最高気道内圧が変化する. 圧外傷の危険性がある. 不均等換気が多い.	1回換気量が変化する. 設定が煩雑.

例題

　矩形波を用いた量規定換気（VCV）方式において，1回換気量 500 mL，換気回数 12 回/分，吸気呼気比 2：3 のとき，吸気流量（L/分）はいくらか．

解答

　量規定換気方式における1回換気量は，吸気流量と吸気時間の設定から次式で求められる.

　　1回換気量＝吸気流量×吸気時間

　換気回数は 12 回/分であるため，1回の呼吸時間は 5 秒である．吸気呼気比は 2：3 であることから，吸気時間は 2 秒（呼気時間は 3 秒）となる.

　したがって，1秒における 吸気流量＝500 mL/2 秒＝250 mL/秒

　となり，吸気流量（L/分）は，吸気流量＝250 mL/秒×60秒＝15 L/分 となる.

国試 【30 回】

　人工呼吸中に図のような波形が観察されるとき，肺胸郭静的コンプライアンス値［mL/cmH2O］はいくらか.

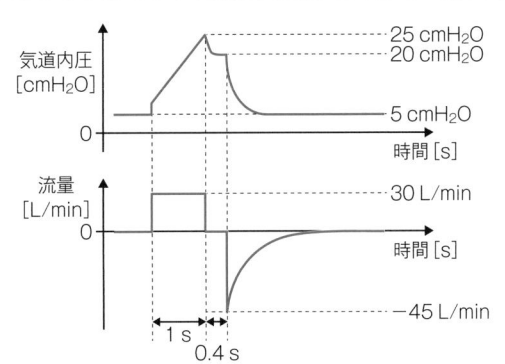

解答

　動的コンプライアンス＝1回換気量/(最高気道内圧－PEEP)

　静的コンプライアンス＝1回換気量/(吸気終末ポーズ圧－PEEP)

　設問の圧波形より，吸気ポーズ時の気道内圧が 20 cmH2O，PEEP が 5 cmH2O ということ

がわかる．また，流量波形から 30 L/min の吸気流速で吸気時間が 1 秒のため 1 回換気量は 500 mL であるため，以下のように計算できる．

$$静的コンプライアンス = 500 \ mL/(20 \ cmH_2O - 5 \ cmH_2O)$$
$$= 500 \ mL/15 \ cmH_2O$$
$$\fallingdotseq 33 \ mL/cmH_2O$$

PSV（pressure support ventilation：圧支持換気）【33回】 ━━━━━━━━━━ ★★

- ❯患者の吸気努力を圧または流量変化により認識し，設定圧により吸気を補う方法．
- ❯呼吸補助の同調性に優れている．
- ❯ファイティングが少ない．
- ❯吸気流量は一定でない．
- ❯PEEP を併用できる．
- ❯吸気仕事量を軽減する．
- ❯ウィーニングの手段として使用できる．
- ❯自発呼吸のない患者には使用できない．
  - ・中枢性の低換気では自発呼吸自体の消失の可能性が高い．
- ❯主な設定は，吸気圧力と PEEP，トリガレベル．
- ❯1 回換気量，呼吸回数，吸気時間などは患者によって決められる．
- ❯1 回換気量は肺胸郭コンプライアンスの変化に依存するために一定の値にならない．
- ❯吸気相から呼気相への移行は，最大吸気流量，吸気時間，吸気流量の変化・気道内圧の変化などから決定される．
- ❯呼吸への移行は患者が決める．
- ❯自発呼吸が消失すると無換気（肺胞換気量＝0）となる．
- ❯分時換気量の低下・増加の原因

分時換気量低下の原因	分時換気量増加の原因
過鎮静 気管チューブ閉塞（気道抵抗増加） カフ漏れ 片肺挿管	代謝性アシドーシス 肺胸郭コンプライアンス増大

PEEP（呼気終末陽圧）【37回】 ━━━━━━━━━━━━━━━━━━━ ★★

- ❯効果
  - ・酸素化の改善（平均気道内圧が上昇）
  - ・機能的残気量の増加
  - ・肺コンプライアンスの改善
  - ・肺内シャント率の減少
- ❯合併症
  - ・心拍出量の低下
  - ・尿量減少
  - ・脳圧上昇
  - ・圧外傷
  - ・気胸

- ◗ PEEP を増加させると，増加または上昇するもの
  - ・平均気道内圧
  - ・機能的残気量
  - ・頭蓋内圧
- ◗ 内因性 PEEP（auto-PEEP）

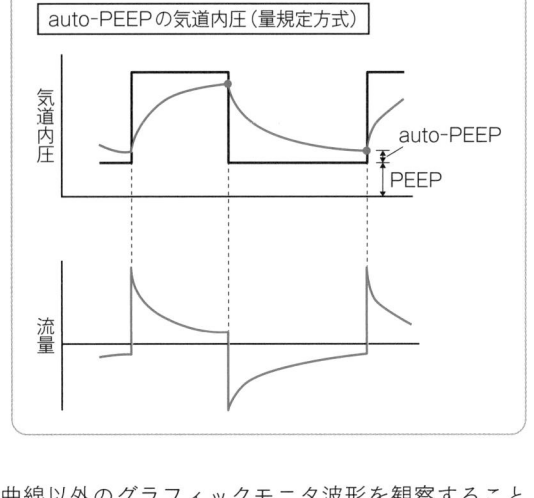

  - ・呼気の途中で末梢気道が閉塞し，肺胞からの呼出が中断すると，胸郭の収縮に従い，肺胞内に陽圧を発生することによる．
  - ・呼気終末時には気道内圧はゼロを呈しているが，胸腔内では呼出しきれていない肺胞の影響で陽圧となる．
  - ・気道内圧計や気道内圧曲線での検出は難しい．
  - ・フロー曲線やフローボリューム曲線といった気道内圧曲線以外のグラフィックモニタ波形を観察することで発見できる．
  - ・閉塞性肺疾患で起こりやすい．
  - ・呼気時間が短縮すると生じやすい．
  - ・トリガに対する仕事量が増加.

CPAP（continuous positive airway pressure：持続性気道陽圧）── ★

- ◗ 換気は患者自身で行われるため，
  - ・吸気呼気比は一定とならない．
  - ・分時換気量は一定とならない．
- ◗ 気道内圧は一定である．
- ◗ 筋弛緩薬が投与されている患者には禁忌である．

EIP（end-inspiratory pause：吸気終末休止）

- ◗ EIP は吸気ポーズ，プラトーとも呼ばれる．
- ◗ 吸気相の終末に送気ガスが停止しても，すぐに呼気相に移らず，呼気弁が閉じたままの状態で一定時間（0.5秒前後）待ち，肺胞が膨張した状態を保った後，呼気相に移行する方法．
- ◗ 圧波形は最高気道内圧から徐々に低下してプラトーに達する．

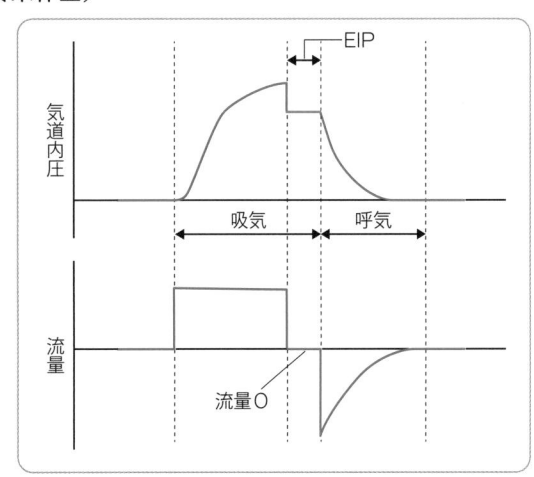

- ◗吸気相の終末に，ある一定の気道内圧を一定時間かけると膨らみやすい肺胞から膨らみにくい肺胞へガスが移動するため，不均等換気の是正ができる．
- ◗PEEPと同様の効果（酸素化の改善）を吸気相でも行おうとするものであり，補助換気法でも使用可能である．
- ◗静肺コンプライアンスを推定できる．
- ◗吸気終末休止時間（EIP時間）は吸気相に含まれる．

○その他，呼吸モード

IRV（inverse ratio ventilation：吸気呼気相比逆転換気）

- ◗I：E比を逆転させた非生理的な換気方法．
- ◗I：E比を1～2：1と，呼気時間よりも吸気時間を長くする．
- ◗自発呼吸があると使用できない．

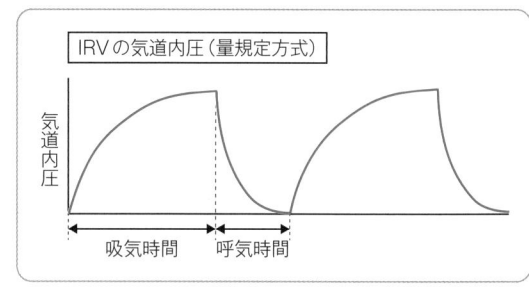

APRV（airway pressure release ventilation：気道圧開放換気）

- ◗定期的に高いPEEPを大気（または数cmH$_2$O）に開放し，肺を萎ませて呼気を促す．
- ◗高圧相の設定値は20～30 cmH$_2$Oと高い．
- ◗開放時間（低圧相）は1～1.5秒程度に設定し，肺が完全に虚脱するのを防止する．
- ◗APRVにおける換気量は，自発呼吸による換気量と，高圧相と低圧相の圧較差による機能的残気量の変化分による換気量とを合算したもの．
- ◗PEEP圧の開放によって得られる換気量は，自発呼吸の換気不足を補うのが目的．
- ◗無呼吸患者や自発呼吸での換気量が著しく少ない患者にはAPRVを用いない．
  - ・全身麻酔下では自発呼吸が停止するためAPRVは用いない．
  - ・筋弛緩薬は自発呼吸を抑制するため低換気の危険が生じる．

BIPAP（biphasic positive airway pressure：二相式陽圧換気）

- ◗二相性のPEEPレベルを交互に繰り返し，高いPEEPレベルから低いPEEPレベルに移行するときに呼気を得て，低いPEEPレベルから高いPEEPレベルに移行するときに吸気を得る方法．

HFOV (high frequency oscillatory ventilation：高頻度振動換気)

❯呼吸回路内の気体に周波数 5〜20 Hz の正弦波振動を加え，死腔より少ない 1 回換気量と高頻度の人工換気により，ガス交換の効率を図る．
　・原理は撹拌と拡散による．
❯自発呼吸がない患者でも使用できる．

IMV (intermittent mandatory ventilation：間欠的強制換気)

❯自発呼吸中に強制換気が加えられるモードであり，換気を補助する．

臨床工学技士国家試験問題 **Check UP!**

(1) 解剖生理/ (2) 酸素療法装置

問題 1 □□□　　　　　　31P67

医療用酸素濃縮器について正しいのはどれか.

a. 吸着型では空気中の窒素を吸着する．
b. 膜型では 20 L/分以上の酸素を供給できる．
c. 膜型では酸素濃度 90％以上を供給できる．
d. 膜型ではゼオライト膜が使用されている．
e. 装置の安全性は JIS で規定されている．
1. a, b　2. a, e　3. b, c　4. c, d　5. d, e

問題 2 □□□　　　　　　29A64 改

吸入療法装置で誤っているのはどれか.

1. メッシュ式ネブライザは臥位で吸入できる．
2. ドライパウダ定量吸入器は呼吸と同期させる必要はない．
3. ジェット式ネブライザでの肺内沈着率は約 10％である．
4. 超音波式ネブライザでは水分の過剰供給の可能性がある．
5. 定量噴霧式吸入器では懸濁タイプの吸入剤をよく振ってから使用する．

問題 3 □□□　　　　　　27A63

ベンチュリーマスクについて正しいのはどれか.

a. ガス流による眼球刺激はない．
b. 不安の強い患者には適さない．
c. 空気流入量は孔の大きさで決まる．
d. II 型呼吸不全の酸素療法に適する．
e. 酸素濃度は酸素流量に依存しない．
1. a, b, c　2. a, b, e　3. a, d, e
4. b, c, d　5. c, d, e

問題 4 □□□　　　　　　30P66

CO_2 ナルコーシスの主な所見はどれか.

a. 高度な呼吸性アシドーシス
b. 自発呼吸減弱
c. 意識障害
d. 血圧低下
e. 徐脈
1. a, b, c　2. a, b, e　3. a, d, e
4. b, c, d　5. c, d, e

問題 5 □□□ 35A67

酸素吸入に用いる機器について正しいのはどれか.

1. 鼻カニューレでは CO_2 ナルコーシスを生じることはない.
2. 簡易酸素マスクは一定の酸素濃度を供給する際に用いる.
3. リザーバ付きマスクは簡易酸素マスクで酸素化が保てない場合に用いる.
4. ベンチュリーマスクは加湿が必要な場合に用いる.
5. ネブライザ付き酸素吸入装置は肺水腫の治療に用いる.

問題 6 □□□ 34A68

酸素療法の安全対策として正しいのはどれか.

a. 慢性閉塞性肺疾患（COPD）の急性増悪時には CO_2 ナルコーシスの危険がある.
b. 90%の酸素濃度で酸素中毒をきたす危険はない.
c. 酸素は可燃性ガスである.
d. 酸素ボンベは高温・直射日光を避けた場所に保管する.
e. 液体酸素が漏れた場合，凍傷などを起こす危険性がある.

1. a, b, c　2. a, b, e　3. a, d, e
4. b, c, d　5. c, d, e

問題 7 □□□ 35P63

高流量鼻カニューレ酸素療法について誤っているのはどれか.

1. 最大 10 L/min の吸気流量を供給できる.
2. ブレンダ型では高圧空気と酸素を混合して高濃度酸素を供給する.
3. ベンチュリー型では医療ガス設備酸素のみで高濃度酸素を供給する.
4. 通常は専用の鼻カニューレを用いる.
5. 呼気終末陽圧（PEEP）効果が得られる.

問題 8 □□□ 32A64

ベンチュリーマスクの設定で総流量が 45L/min となるのはどれか.

a. 酸素濃度 24%，酸素流量 4L/min
b. 酸素濃度 28%，酸素流量 4L/min
c. 酸素濃度 35%，酸素流量 8L/min
d. 酸素濃度 40%，酸素流量 8L/min
e. 酸素濃度 50%，酸素流量 10L/min

1. a, b　2. a, e　3. b, c　4. c, d　5. d, e

問題 9 □□□ 31A68

矩形波を用いた量規定換気（VCV 方式）において，1 回換気量 500 mL，換気回数 10 回/，吸気呼気比 1：2 のとき，吸気流量（L/分）はどれか.

1. 0.5
2. 5.0
3. 15
4. 30
5. 60

問題 10 □□□ 36A68

ハイフローシステムについて正しいのはどれか.

a. 加温加湿器は必要ない.
b. F_IO_2 の上限は 60% である.
c. 解剖学的死腔の二酸化炭素の洗い出し効果がある.
d. 装着しながら経口摂取を行うことができる.
e. 慢性閉塞性肺疾患では在宅で使用できる場合がある.

1. a, b, c　2. a, b, e　3. a, d, e
4. b, c, d　5. c, d, e

問題 11 □□□ 37A64

高流量鼻カニューレ酸素療法について正しいのはどれか.

1. 加湿は不十分である.
2. 食事中の使用はできない.
3. 解剖学的死腔は増加する.
4. 呼気終末陽圧（PEEP）効果がある.
5. 気道感染のリスクが増加する.

問題 12 □□□ 37A68

吸着型酸素濃縮器で誤っているのはどれか.

1. ゼオライトを用いて窒素を吸着する.
2. 加圧した空気を吸着筒内に送る.
3. 吸着濃縮後のガスは乾燥している.
4. 貯蔵タンクに蓄えてから供給する.
5. 酸素濃度の上限は 50%程度である.

（3）吸入療法装置

問題 13 □□□ 25P64

ネブライザについて正しいのはどれか.

a. リザーバの水はセラチア菌などに汚染されやすい.
b. 径 5～10 μm の粒子は下気道に到達しない.
c. 超音波型の粒子径はジェットネブライザよりも大きい.
d. メインストリーム型ジェットネブライザは薬剤投与目的で使用する.
e. 超音波型は過剰加湿になりやすい.

1. a, b 2. a, e 3. b, c 4. c, d 5. d, e

問題 14 □□□ 35A64

ジェット式ネブライザで誤っているのはどれか.

1. 振動子を使用する.
2. ベンチュリー効果を利用している.
3. ジェットノズルによって流速が増す.
4. 細管内の薬液が吸い上げられて気流に乗る.
5. バッフルに衝突させてエアロゾルを細粒化する.

問題 15 □□□ 37A67

酸素濃度を設定できるのはどれか.

a. ネブライザ付き酸素吸入装置
b. ベンチュリーマスク
c. リザーバ付きマスク
d. 簡易酸素マスク
e. 鼻カニューレ

1. a, b 2. a, e 3. b, c 4. c, d 5. d, e

（4）人工呼吸器

問題 16 □□□ 26P67

PCV 施行中に呼気分時換気量が低下した. 考えられる原因はどれか.

a. 気道抵抗増加
b. 肺コンプライアンス上昇
c. 自発呼吸数増加
d. カフ漏れ
e. 片肺挿管

1. a, b, c 2. a, b, e 3. a, d, e
4. b, c, d 5. c, d, e

問題 17 □□□ 29P63

PSV（pressure support ventilation）施行時に分時換気量低下の原因となるのはどれか.

a. 過鎮静
b. カフ圧上昇
c. 代謝性アシドーシス
d. 肺胸郭コンプライアンス増大
e. 気管チューブ閉塞

1. a, b 2. a, e 3. b, c 4. c, d 5. d, e

問題 18 □□□ 31A67

量規定換気（VCV）方式の特徴で圧規定換気（PCV）方式と比較して誤っているのはどれか.

a. 不均等換気が少ない.
b. 換気量の変更が容易である.
c. 圧外傷の危険性が高い.
d. 最高気道内圧が変動する.
2. 気道内圧は吸気早期に設定吸気圧に達する.

1. a, b 2. a, e 3. b, c 4. c, d 5. d, e

問題 19 □□□ 24A65

定常流方式（constant flow generator）による人工呼吸器で正しいのはどれか.

a. PCV に使用される.
b. アシストモード（assist mode）で使用できない.
c. 換気量はコンプライアンスに影響されない.
d. 換気量は気道抵抗に影響されない.
e. 吸気相の気道内圧は一定である.

1. a, b 2. a, e 3. b, c 4. c, d 5. d, e

呼気終末陽圧（PEEP）を上昇させた影響について正しいのはどれか.

1. 肺内シャント率が増加する.
2. 気胸のリスクがある.
3. 心拍出量が増加する.
4. 頭蓋内圧が低下する.
5. 機能的残気量が減少する.

APRV（気道圧開放換気）で正しいのはどれか.

a. 全身麻酔でしばしば用いられる.
b. 筋弛緩薬を使用する.
c. 高圧相は低圧相よりも短くする.
d. 低圧相と高圧相の圧力の差によって換気量を補う.
e. 肺胞の虚脱を防ぐのに有用である.

1. a, b　2. a, e　3. b, c　4. c, d　5. d, e

PEEP について誤っているのはどれか.

1. 平均気道内圧が増加する.
2. 機能的残気量が増加する.
3. 酸素化能が改善する.
4. 尿量が減少する.
5. 脳圧が低下する.

人工呼吸中に PEEP を増加させると, 増加または上昇するのはどれか.

a. 吸入気酸素濃度
b. 平均気道内圧
c. 機能的残気量
d. 頭蓋内圧
e. 心拍出量

1. a, b, c　2. a, b, e　3. a, d, e
4. b, c, d　5. c, d, e

吸気ガスの流量波形で矩形波が認められるのはどれか.

a. CPAP（Continuous positive airway pressure）
b. PCV（Pressure control ventilation）
c. PSV（Pressure support ventilation）
d. SIMV（Synchronized intermittent mandatory ventilation）
e. VCV（Volume control ventilation）

1. a, b　2. a, e　3. b, c　4. c, d　5. d, e

自発呼吸が消失すると無呼吸（肺胞換気量＝0）となるモードはどれか.

1. APRV（Airway pressure release ventilation）
2. BIPAP（Biphasic positive airway pressure）
3. HFOV（High frequency oscillatory ventilation）
4. PSV（Pressure support ventilation）
5. IMV（Intermittent mandatory ventilation）

量規定換気でフロー 30 L/分, 換気回数 15 回/分, 吸気呼気比 1 : 3 のとき, 1 回換気量 [mL] はどれか.

1. 500
2. 600
3. 700
4. 800
5. 900

〈解答〉問題 1-2, 問題 2-2, 問題 3-4, 問題 4-1, 問題 5-3, 問題 6-3, 問題 7-1, 問題 8-3, 問題 9-3, 問題 10-5, 問題 11-4, 問題 12-5, 問題 13-2, 問題 14-1, 問題 15-1, 問題 16-3, 問題 17-2, 問題 18-2, 問題 19-4, 問題 20-2, 問題 21-5, 問題 22-5, 問題 23-4, 問題 24-5, 問題 25-4, 問題 26-1

（5）高気圧治療装置

○治療方法および適応 ━━━━━━━━━━━━━━━━━━━━ ★

- ❥治療圧力は，再圧治療では 2.8 ATA が標準的な治療法として国際的に容認されている.
- ❥慢性疾患に対する治療は，酸素中毒の危険が少ない 2.0 ATA，60 分以上行うことが一般的である.
- ❥加圧・減圧の速度は約 0.08 MPa 以下で行う.
- ❥2.0 ATA での酸素分圧は 1520 mmHg で大気圧空気の 10 倍に相当.
- ❥3.0 ATA での酸素分圧は 2280 mmHg で大気圧空気の 14 倍以上に相当.
- ❥2.0 ATA，100%酸素における肺胞酸素分圧は 1.0 ATA の 2.1 倍となる.
- ❥2.8 ATA，100%酸素における溶解型酸素量は安静時分時酸素需要量を上回る.
  - ・2.8 ATA，100%酸素における溶解型酸素量$=0.0031 \times PaO_2 = 0.0031 \times 2000 = 6.2$ [vol%]
  - ・安静時分時酸素需要量＝動脈血酸素含量−静脈血酸素含量$=20.4-15.8=4.6$ [vol%]

3ATA での変化

- ❥溶解型酸素量は結合型酸素量を上回ることはない.
  - ・結合型酸素量 (大気圧空気吸入)$=0.98 \times 15$ [g/dL]$\times 1.34$ [mL/g]$≒20.4$ [vol%]
  - ・結合型酸素量 (3 気圧空気吸入)$=0.98 \times 15$ [g/dL]$\times 1.34$ [mL/g]$≒20.4$ [vol%]
  - ・溶解型酸素量 (大気圧空気吸入)$=0.003 \times 100 = 0.3$ [vol%]
  - ・溶解型酸素量 (3 気圧空気吸入)$=0.003 \times 2183 ≒ 6.6$ [vol%]
- ❥動脈血酸素分圧（PaO_2）は上昇する.
  - ・$(760 \times 3-47)-40/0.8=2183$ mmHg
- ❥溶解型酸素量は 22 倍となる.
  - ・$PaO_2 = 2183$ mmHg より，$2183 \times 0.003 ≒ 6.6$ vol%
- ❥結合型酸素量はわずかに上昇する.
  - ・1.34 [mL/g]$\times 15$ [g/dL]$\times 1.00$ [%]$=20.1$ [vol%]

> 1.34 [mL/g]：Hb 1 g に結合する酸素量
> 15 [g/sL]：血液 1dL 中の Hb 量 (g)
> 1.00 [%]：SaO_2 が 100%

- ❥溶解型酸素量の増加に伴い，酸素含量も増加する.
- ❥動脈血酸素含量は約 1.3 倍となる.
  - ・3.0 ATA では，$1.34 \times 15 \times 1 + 0.003 \times 2183 ≒ 26.6$ vol%
- ❥肺胞気酸素分圧の計算
  - ・$P_AO_2 = 760$ [mmHg]$\times$環境気圧 [ATA]−飽和水蒸気圧 [mmHg]$\times$吸入酸素濃度−二酸化炭素と交換された酸素分圧(内呼吸で使用された酸素分圧) [mmHg]
    - → 3.0 ATA で純酸素（100%）吸入：$(760 \times 3-47) \times 1.0-40/0.8 ≒ 2200$ mmHg
    - → 1.0 ATA で空気（0.21）吸入：$(760 \times 1-47) \times 0.21-40/0.8 ≒ 100$ mmHg

酸素分圧と窒素分圧の変化（第 1 種，第 2 種）

- ❥第 1 種装置の場合：酸素により 2 気圧（1520 mmHg）に加圧した場合
  - ・装置内酸素分圧：1520 mmHg$\times 1.0$ (100%)$=1520$ mmHg
  - ・装置内窒素分圧：1520 mmHg$\times 0$ (0%)$=0$ mmHg

❷第 2 種装置の場合：空気により 2 気圧（1520 mmHg）に加圧した場合
　　・装置内酸素分圧：1520 mmHg×0.21（21%）≒319 mmHg
　　・装置内窒素分圧：1520 mmHg×0.79（79%）≒1201 mmHg

結合型酸素＝1.34 [mL/g]×Hb [g/dL]×SaO$_2$ [%]

　　正常値：1.34×15×0.98＝19.698 [vol%]

溶解型酸素 ＝0.0031 [mL/mmHg/dL]×PaO$_2$ [mmHg]

　　正常値：0.0031×100＝0.31 [vol%]

肺胞気酸素分圧

高気圧環境下で100%酸素を吸入した場合

PaO$_2$＝760 [mmHg]×絶対気圧 [ATA]−飽和水蒸気圧 [mmHg]−（動脈血二酸化炭素分圧 [mmHg]/呼吸商）

1.0 ATA で 100%酸素吸入：760×1−47−40/0.8＝663 [mmHg]

2.0 ATA で 100%酸素吸入：760×2−47−40/0.8＝1423 [mmHg]

2.8 ATA で 100%酸素吸入：760×2.8−47−40/0.8＝2031 [mmHg]

3.0 ATA で 100%酸素吸入：760×3.0−47−40/0.8＝2183 [mmHg]

◎治療原理　【33 回】【34 回】【35 回】　　　　　　　　　　　　　　　★★★

❷加圧による物理的効果により，泡沫化した窒素などのガスの体積を圧縮して減圧症の治療が行われる（ボイルの法則）．

❷結合型酸素量よりも溶解型酸素量の増大による効果が大きい．

溶解型酸素量増加による効果

❷創傷治癒の促進

❷末梢組織の酸素化

❷好中球活性の上昇

高気圧酸素治療の環境下

❷燃焼率が増加する．

❷燃焼速度が上昇する．

❷酸素の支燃性が高くなる．

❷高気圧環境下では圧力の上昇に伴い，可燃物の着火温度は低下する．

❷高気圧環境下では，空気中の不燃物，難燃物とされているものでも燃焼する．

治療圧力による変化

変化する	変化しない
溶解型酸素量	酸素飽和度
酸素含量	結合型酸素量
酸素分圧	

高気圧酸素療法の奏効機序

❷溶解型酸素量の増加による低酸素症の治療

　　・例：急性一酸化炭素中毒，網膜動脈閉塞症など

❷環境圧力の物理的変化による圧縮・溶解治療
　　・例：空気塞栓症，腸閉塞症（イレウス）など
❷酸素毒性・薬理作用を利用した治療
　　・例：ガス壊疽，悪性腫瘍など
❷不活性ガスの排出促進

○高気圧酸素治療の副作用　【34 回】【37 回】 ────────── ★★
❷めまい
❷痙攣
❷鼓膜穿孔
❷自然気胸
❷緊張性気胸
❷酸素中毒
❷滲出性中耳炎
❷副鼻腔障害
❷肺胞破裂
❷皮下気腫
❷急性動脈ガス塞栓症

○適応と禁忌

高気圧酸素治療の適応　【37 回】 ──────────────── ★★

(1)発症後 1 カ月以内 （一連につき限度 7 回）	(2)その他 （一連につき限度 10 回）	(2)その他 （一連につき限度 30 回）
・空気塞栓 ・減圧症	・急性一酸化炭素中毒，その他の 　ガス中毒（間歇型を含む） ・重症軟部組織感染症（ガス壊 　疽，壊死性筋膜炎），または頭 　蓋内膿瘍 ・急性末梢血管障害 　　重症の熱傷または凍傷 　　広汎挫傷または中程度以上の 　　血管断裂を伴う末梢血管障害 　　コンパーメント症候群または 　　圧挫症候群 ・脳梗塞 ・重症頭部外傷後，もしくは開頭 　術後の意識障害または脳浮腫 ・重症の低酸素脳症 ・腸閉塞（イレウス）	・網膜動脈閉塞症 ・突発性難聴 ・放射線または抗がん薬治療と併 　用される悪性腫瘍 ・難治性潰瘍を伴う末梢循環障害 ・皮膚移植 ・脊髄神経疾患 ・骨髄炎または放射線障害

※スモンの患者に対して行う場合は（2）より算定する．

減圧症　【36 回】 ───────────────────────── ★★
❷長時間の深い深度での潜水作業後に，急速な浮上などの減圧に伴って，血液中に溶解
　した窒素が気泡となって発生する．
❷神経症状，呼吸器症状，皮膚症状，聴力低下，全身倦怠感などを呈する．
❷高気圧酸素治療により，不活性ガスの体外への排出を促進する．
❷標準的治療法は，1 回約 5 時間の高気圧酸素治療（再圧治療）である．

禁忌・禁止事項（第 1 種装置），注意事項（第 2 種装置）【36 回】 ━━━━━━━━ ★★

❷患者が自然気胸または気管支喘息，開胸手術などの既往を有し，急性の換気障害が発生する恐れがある場合．

❷患者が誤嚥または窒息，重篤な不整脈その他重大な呼吸循環障害が発生する恐れがある場合．

❷3ATA 以上での医療用酸素は使用しない．

第 1 種装置を使用した高気圧酸素治療の禁忌

絶対的禁忌	相対的禁忌	
・開放性気胸 ・重度の急性気管支痙攣 ・ドキソルビシン（抗がん薬）の併用 ・ブレオマイシン（抗がん薬）の併用または最近の使用　など	・上気道感染症 ・肺気腫を伴う慢性閉塞性肺疾患 ・てんかん ・心疾患（非管理） ・重度の不整脈 ・アレルギー性鼻炎 ・気胸や胸部外科手術の既往	・視神経炎 ・閉所恐怖症 ・慢性副鼻腔炎と中耳炎 ・耳・鼻・咽頭の外科手術の既往 ・動脈性高血圧（非管理） ・危険な行為　など

○装置（第 1 種・第 2 種装置）

高気圧酸素治療装置 【35 回】 ━━━━━━━━━━━━━━━━━━ ★★

	第 1 種装置	第 2 種装置
概要	・1 人用 ・純酸素または空気により，2.0 ATA 以上，2.8 ATA 以下にて加圧 ・目標治療圧での圧停止時間 60 分（減圧症などの再圧治療は除く）	・多人数用 ・空気加圧のみ ・2.0 ATA 以上，3.0 ATA 以下にて加圧 ・目標治療圧での圧停止時間 60 分以上 90 分以下（減圧症などの再圧治療は除く） ・酸素マスクなどを装着する
設備など	・心電計および脳波計の電極 ・通信・通話装置のマイクロフォン ・スピーカおよび警報用ブザー（または電鈴）のスイッチ ・本質安全防爆構造などにより環境条件のもとで防爆性能を有したもの	・心電計 ・脳波計 ・血圧計 ・経皮的動脈血酸素分圧測定器

高気圧酸素治療装置内に持ち込めるもの

❷木綿のハンカチ

❷綿 100％のテープ

○安全管理 【35 回】 ━━━━━━━━━━━━━━━━━━━━━━━━━ ★★

日常点検

❷始業点検

・装置本体（装置内外の火気および危険物の有無，破損やキズの有無，扉の作動点検）

・送気系（酸素元圧点検，圧力調整器点検，各バルブの目視点検および作動点検など）

・排気系（排気ホースの破損，排気放出先の火気などの点検）

・接地（接地コード接続および断線の有無）

・電源部（電源コード，コンセント，ソケットの異常の有無）

・通信部（インターフォンなどの動作点検）

・生体情報（ME 端子貫通部の異常の有無）

- 制御系（コンピュータ制御部および手動制御部の作動状態および異常の有無）
- 加圧テスト（加圧試験プログラムの確認および試運転など）
- ❯ 使用中点検
- ❯ 終業点検
- ❯ 定期点検（年1回実施）
  - 圧力計の示度
  - 安全弁の分解点検
  - 扉開閉装置の分解点検
  - 消火設備の動作
  - 気密性の確認　など

臨床工学技士の業務
- ❯ 日常点検
- ❯ 患者の所持品点検（ボディーチェック）
- ❯ 変圧に対する指導
- ❯ 治療中の患者監視
- ❯ 定期点検　など

臨床工学技士国家試験問題　Check UP!

問題1　□□□　26A68

高気圧酸素治療の治療圧力［ATA］の最高値はどれか.

1. 0.3
2. 1.0
3. 1.4
4. 3.0
5. 5.0

問題3　□□□　30P69

第1種装置を使用した高気圧酸素治療の禁忌はどれか.

a. コントロール不良の気管支喘息
b. 重篤な不整脈
c. 自然気胸
d. 開腹手術の術後
e. 中耳炎の既往

1. a, b, c　2. a, b, e　3. a, d, e
4. b, c, d　5. c, d, e

問題2　□□□　28P64

高気圧酸素治療について正しいのはどれか.

1. 結合型酸素量は酸素分圧に比例して増大する.
2. 2.0 ATA, 100%酸素における肺胞酸素分圧は1.0 ATA の1.7倍となる.
3. 溶解型酸素量よりも結合型酸素量の増大による効果が大きい.
4. 2.8 ATA, 100%酸素における溶解型酸素量は安静時分時酸素需要量を上回る.
5. 減圧症への有効性は示されていない.

問題4　□□□　27P68

第1種高気圧酸素治療装置でモニタしてよい生体情報はどれか.

a. 脳波
b. 橈骨動脈血圧
c. SpO_2
d. カプノグラム
e. 心電図

1. a, b　2. a, e　3. b, c　4. c, d　5. d, e

第1種高気圧酸素治療装置における日常点検項目でないのはどれか.

1. 送気系の元圧力
2. 接地端子の接地状態
3. 電気系の絶縁抵抗
4. 制御系のコンピュータ作動状態
5. 通信系のインターフォン

高気圧酸素治療の効果について誤っているのはどれか.

1. 自然気胸を改善する.
2. 気体による周囲組織の圧迫を解除する.
3. 低酸素の末梢組織を酸素化する.
4. 体内組織に溶解した窒素を速やかに体外へ排出する.
5. 一酸化炭素ヘモグロビンを速やかに解離する.

高気圧酸素治療の効果で正しいのはどれか.

a. 腸内ガスの膨張
b. 血糖値コントロールの改善
c. 創傷治癒の促進
d. 末梢組織の酸素化
e. 感染に対する好中球活性の上昇

1. a, b, c　　2. a, b, e　　3. a, d, e
4. b, c, d　　5. c, d, e

高気圧酸素治療装置で正しいのはどれか.

a. 第1種治療装置は単室構造に限定される.
b. 第1種治療装置は酸素加圧式に限定される.
c. 定期点検は2年に1回が義務づけられている.
d. 定期点検では安全弁の分解点検を要する.
e. 日常点検での使用前点検では通話装置の動作を確認する.

1. a, b, c　　2. a, b, e　　3. a, d, e
4. b, c, d　　5. c, d, e

減圧症とその治療について誤っているのはどれか.

1. 長時間の深い深度での潜水作業後に発症する.
2. 組織内に溶解した酸素が気泡化することで発症する.
3. 神経症状, 呼吸器症状, 皮膚症状などを呈する.
4. 高気圧酸素治療により, 不活性ガスの体外への排出を促進する.
5. 標準的治療方法は, 約5時間の高気圧酸素療法である.

高気圧酸素治療の禁忌はどれか.

a. 肺気腫
b. 緊張性気胸
c. 気管支喘息発作
d. 一酸化炭素中毒
e. コンパートメント症候群

1. a, b, c　　2. a, b, e　　3. a, d, e
4. b, c, d　　5. c, d, e

高気圧酸素治療の気圧外傷でないのはどれか.

1. 溶　血
2. 肺胞破裂
3. 皮下気腫
4. 緊張性気胸
5. 急性動脈ガス塞栓症

高気圧酸素治療の適応疾患でないのはどれか.

1. 慢性骨髄炎
2. 自然気胸
3. ガス壊疽
4. 突発性難聴
5. 一酸化炭素中毒

〈解答〉問題1-4, 問題2-4, 問題3-1, 問題4-2, 問題5-3, 問題6-1, 問題7-5, 問題8-3, 問題9-2, 問題10-1, 問題11-1, 問題12-2

（6）モニタリング

○ **人工呼吸器での換気量，気道内圧，流量測定**

人工呼吸器グラフィックモニタ

❷換気モニタ

- ・気道内圧
- ・1回換気量
- ・分時換気量
- ・換気回数
- ・吸気時間
- ・酸素濃度

❷計測項目（計測機能を備えている人工呼吸器）

- ・コンプライアンス
- ・エラスタンス（弾性抵抗）
- ・吸気抵抗
- ・呼吸仕事量
- ・内因性 PEEP

肺の圧-容量曲線

❷横軸を圧力（気道内圧），縦軸を量（肺容量）として，1呼吸ごとに気道内圧と一回
換気量の関係を示すループを圧-量曲線（P-V カーブ：pressure volume curve，もし
くは P-V ループ）といい，肺胸郭コンプライアンスや気道抵抗を把握する指標となる．
（臨床工学講座．呼吸療法装置第2版．p.200 より）

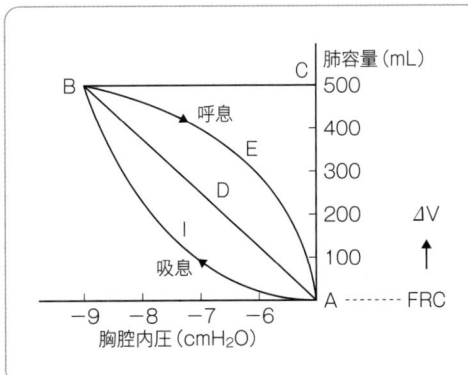

- ・肺コンプライアンス：直線 AB
- ・弾性仕事量：ADBC
- ・粘性仕事量：AIBD
- ・吸気時に行われる仕事量：AIBC
  （弾性仕事量と粘性仕事量の合成）

（出典：第19回臨床工学技士国家試験問題より）

○ **血液ガス分析（カテーテル採血を含む）**

血液ガス分析　【33回】【35回】　　　　　　　　　　★★

❷液体のガス分圧は同じ分圧の気相と平衡に達した状態と定義される．

❷酸素飽和度の連続測定は赤外光，赤色光を利用している．

❷酸素分圧測定は，採血困難な新生児領域での汎用性が高い．

❷二酸化炭素は主に炭酸水素イオンとして運搬される．

❷密封採取サンプルを室温で放置すると PO_2 は低下する．

❷pH は水素イオン濃度の対数に比例する．

❷PO_2 電極

- クラーク電極
- 陽陰極間に流れる電流が酸素分圧と比例することを利用して酸素分圧を測定する.
- 経皮電極により皮膚面を加温している.

❷pH 電極
- ガラス電極
- ガラスの両面に異なるイオン強度の電解液があるとき,ガラスの両面間に電位差が生じることを利用している.

❷PCO_2 電極
- ガラス電極
- H^+ がガラス電極を通過するときにガラス膜両面に電位差が生じることを利用している. pH 電極の応用.
- 二酸化炭素電極はセバリングハウス電極を応用している.
- センサには,加温のためヒータが内蔵されている.

動脈血液ガスの基準値
❷pH:7.40 ± 0.05
❷動脈血酸素分圧(PaO₂)*:80〜100 mmHg
❷動脈血酸素飽和度(SaO₂):95〜99%
❷経皮的酸素飽和度(SpO₂):98%
❷動脈血二酸化炭素分圧(PaCO₂):36〜44 mmHg
❷重炭酸イオン(HCO₃⁻):22〜26 mEq/L
❷BE:0 ± 2 mEq/L
❷アニオンギャップ(AG):12 ± 2 mEq/L.
  *年齢によって基準値が異なり,高齢になるほど低くなる.

⚪パルスオキシメトリ
パルスオキシメータ 【33回】【34回】 ────────────────── ★★
❷透過率の差のあるオキシヘモグロビンとデオキシヘモグロビンの吸光度の比により無侵襲で連続的に動脈血酸素飽和度を測定する.
❷低酸素血症,末梢循環障害,不整脈などの早期発見に有効である.
❷パルスオキシメータに使用する光は赤色光(660 nm)と赤外光(940 nm)である.
❷計測表面を 42〜44℃に加温する.
❷使用前の校正は必要ない.
❷使用前のプローブの滅菌は必要ない.
❷測定誤差の要因
- 吸光特性による誤差因子
  マニキュア(緑,青,茶色)
  異常ヘモグロビン(一酸化炭素ヘモグロビン,メトヘモグロビン)の存在
  インドシアニングリーン,メチレンブルー静注
- 電磁障害
  電気メス,携帯電話などの電磁波などによる影響
- 外乱光の影響
  太陽光,手術灯,室内光などの強い光による影響
- 圧迫による静脈拍動がある場合

・末梢循環不全などの血流障害がある場合

・体動がある場合

○ カプノメトリ

カプノグラム 【33回】【34回】 ★★

- ❯ 動脈血二酸化炭素分圧は換気の指標である.
- ❯ 呼気終末二酸化炭素分圧は動脈血二酸化炭素分圧に近似する.
- ❯ 呼気終末二酸化炭素分圧は肺胞換気量に反比例する.
- ❯ 赤外線吸光法は呼気ガス中の二酸化炭素測定法の1つである.
- ❯ 二酸化炭素呼出曲線開始時点と呼気開始とは一致しない.

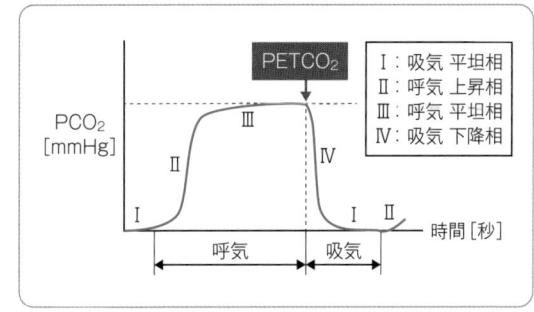

測定方法の比較

	メインストリーム方式	サイドストリーム方式
特徴	・二酸化炭素が 4.26 μm 前後の赤外線を良好に吸収する. ・吸収されている光量が二酸化炭素分子の存在数に比例することを用いる. ・センサを直接,呼吸回路に接続して使用する.	・呼吸回路にサンプリングチューブと呼ばれる呼気ガス採取チューブを接続し,採取したガスをサンプルとして測定を行う方式. ・50〜250 mL/min の呼吸ガスをサンプリングする.
長所	・患者の呼吸状態の変化(頻呼吸,徐呼吸など)によく追従できる. ・レスポンス(応答)が良い. ・ICU などで長期間の人工呼吸管理に使用.	・死腔や気道抵抗を最小限にできる. ・非挿管患者でも使用できる. ・センサを大型化できるため,CO_2 以外の麻酔ガスなども同時測定できる. ・回路にセンサを取り付けないため,回路に負担がかからない.
短所	・回路内にセンサを直接接続するため気道抵抗や死腔が増加する. ・セルの汚れや水滴の付着により測定誤差を生じる. ・センサの重みが呼吸回路にそのままかかるので,回路の負荷になる.	・サンプリングチューブが閉塞しやすい. ・ガスサンプルを採取して測定を行うので,測定結果を得るまでタイムラグを生じる. ・浅く,速い呼吸では正確に測定できない. ・高価なものが多い.

呼気終末二酸化炭素分圧（PETCO₂）の上昇・低下の原因 ─────────── ★

呼気終末二酸化炭素分圧の上昇	呼気終末二酸化炭素分圧の低下
・肺胞低換気	・気管チューブの屈曲・閉塞
・閉塞性肺疾患	・気道閉塞
・心拍出量増加	・呼吸回路リーク，呼吸回路の脱落
・解剖学的死腔量の増加	・解剖学的死腔量の減少
・肺胞死腔量の減少	・肺塞栓症
・肺胞換気量の低下	肺胞死腔量の増加
・呼気の再呼吸	肺胞換気量の増加
・低換気	・過剰換気
・体温上昇（悪性高熱症などによる産生増加）	・心拍出量と肺血流量の低下（循環血液量減少）
・二酸化炭素気腹	・心停止
・炭酸水素ナトリウムの投与	・呼吸停止
・呼気弁の開放不全	・低体温（熱産生の減少）
・心拍出量の増加	・サンプルチューブの閉塞
・疼痛	
・シバリング	
・麻酔器のソーダライムの劣化	

※解剖学的死腔量：導気管系（鼻腔～終末細気管支）を指し，成人では約 150 mL（2 mL/kg）とされる．
※肺胞死腔量：正常時にはみられないが，肺塞栓症などで肺胞への炭酸ガス移行が障害されガス交換が行われない領域である．1 回換気量の 80～90％に達することもある．

❱吸気の二酸化炭素濃度がゼロより高い時は，呼気の再呼吸を意味する．
　　・二酸化炭素吸収剤の劣化も考えられる（麻酔器使用の場合）．

呼吸療法装置　第 2 版
p.130～136

（7）呼吸回路（周辺医用機器含む）

○吸気弁
❱吸気時に開き，呼気時に閉じる．

○Y ピース
❱気管チューブと呼吸回路をつなぐ．

○呼気弁
❱吸気時に閉じ，呼気時に開く．

○バクテリアフィルタ
❱常在菌の通過を防ぎ，患者への侵入を防止（吸気側）．
❱人工呼吸器内の汚染防止．
❱大気への常在菌の放散防止（呼気側）．

○患者呼吸回路（蛇管）
❱塩化ビニル，シリコンなどの柔らかい素材を使用．
❱屈曲しないように蛇腹状の形状である．

○加温加湿器（温度センサ含む）【35 回】【36 回】 ────────── ★★
❱吸気ガスの加温加湿を行う．
❱滅菌蒸留水を使用．
❱口元での吸入気温度は 32～35℃（相対湿度 100％）を目標とする．

- ❯回路内に結露が生じていれば相対湿度はほぼ100%である.
- ❯ホースヒータの役割は吸気口元温を一定に保つことによる結露防止, 細菌汚染防止である.
- ❯ヒートワイヤは吸気回路内結露を防止する.
- ❯ヒートワイヤのない回路は途中のウォータートラップが必要である.
- ❯加温加湿器の蒸留水は雑菌などの汚染に十分注意する.
- ❯不十分な加湿は肺合併症の原因となる.

加温加湿器を使用するときに起こりうる副作用・注意点
- ❯うつ熱
- ❯気道熱傷
- ❯気道感染
- ❯肺水腫
- ❯回路内結露
- ❯細菌汚染
- ❯人工鼻と加温加湿器の併用は禁忌
- ❯抵抗増加
- ❯感電

○人工鼻　【33回】【34回】【37回】 ★★★

- ❯Yピースと気管チューブとの間に装着.
- ❯呼吸回路はシンプルになる.
- ❯吸湿性物質により, 患者呼気中の熱と蒸気を捉え, 吸気ガス中に放出.
- ❯死腔が増加する.
- ❯呼吸抵抗が増加する.
- ❯ネブライザ使用時は呼吸回路から外す必要がある.
- ❯小児用は成人用よりも容量が小さい.
- ❯装着中は呼吸回路が乾いた状態で維持される.
- ❯加温加湿器は不要.
- ❯吸着絶対湿度は30 mg/L前後(人工鼻の加湿性能)であり, 気道の加湿という面では加温加湿器には及ばない.
- ❯内部構造に細菌・ウイルスを通さない素材を用いることにより, 病原体のフィルタとしての役割も兼ねる.

禁忌事項
- ❯気道出血, 喀痰や気管内分泌物が粘稠な場合には呼気抵抗の増大や閉塞があるため, 人工鼻は禁忌.
- ❯加温加湿器やネブライザとの併用は禁忌.

人工鼻の特徴まとめ

利点	欠点
・加温加湿器に比較して取り扱いが簡便. ・呼吸回路が単純化される. ・回路内に結露が生じにくい. ・過剰加湿にならない. ・フィルタ機能があるため機械側から患者への汚染およびその逆の汚染の発生率を減らすことができる.	・加温加湿器に比較して加湿能力に劣る. ・機械的死腔量が増加する. ・人工鼻の容量はそのまま死腔となる（機械的死腔）. ・ネブライザや加温加湿器との併用は禁忌. ・重量がかかり口元での回路屈曲の原因となる. ・重量による気管チューブの脱落が起こる. ・気道出血・喀痰や気管内分泌物が粘稠な場合に呼気抵抗の増大や閉塞がある. ・抵抗増大による呼吸仕事量の増加. ・換気量が大きい場合やリークがある場合（小児を含む）などでは加湿不足となる場合がある.

○ウォータートラップ

- 吸気側に優先して組み込む（呼気側に追加して組み込むこともある）.
- 回路内に発生した結露水を集める.
- 呼吸回路の一番低い位置に設置する.
- ヒートワイヤ組み込み回路では不要.

○ICU で用いられる人工呼吸器の構成要素 ─────── ★

- 呼気弁
- 気道内圧モニタ
- 酸素濃度調節装置　など

○用手換気装置

ジャクソンリース回路 ───────────────── ★

- バッグの膨張に酸素供給源が必要.
- 非自動膨張式
- バッグのサイズを変更することで換気量を調整できる.
- バッグには成人用, 小児用がある.
- 自発呼吸により吸入することができる.
- 高濃度酸素投与が可能（ほぼ100%）.
- 吸気酸素濃度が患者の呼吸様式や1回換気量に影響されない.
- バッグが柔らかく回路抵抗も小さいため, 肺コンプライアンスや気道抵抗の状態を把握しやすい.
- 呼気ガスの再呼吸の可能性あり（CO_2 上昇）.
- 酸素ガス流量（酸素供給量）は呼気ガスの再呼吸を予防するために分時換気量の2～3倍程度（10～15 L/分以上）.
- 安価, 構造が単純.

バッグバルブマスク　【33回】【35回】　★★

- ❥用手換気装置は救急蘇生時の手動換気，人工呼吸中の気管吸引前後などに使用する．
- ❥自動膨張式.
- ❥用手換気装置を接続できる部位（右図）
  - ・c：カテーテルマウント（フレックスチューブ）のYピース接続部
  - ・d：気管チューブコネクタ

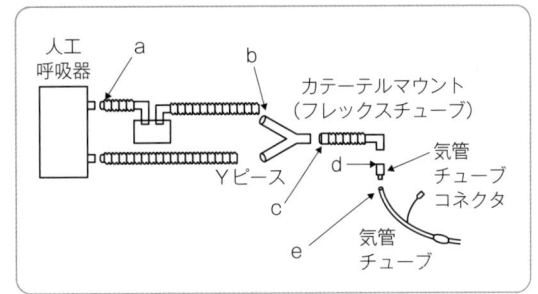

（出典：第33回臨床工学技士国家試験問題　午後68より）

○NO（一酸化窒素）ガス治療機器　【34回】【36回】　★★

- ❥NO吸入療法で期待できる効果
  - ・肺動脈圧の低下
  - ・換気血流比（V/Q比）の改善
  - ・肺内シャントの改善
- ❥吸入されたNOは，肺胞から組織に吸収され肺血管平滑筋に作用して肺血管を拡張させる．
- ❥肺血管平滑筋の拡張に関与しなかったNOは肺血管内へと拡散し，赤血球のヘモグロビンと結合してメトヘモグロビンとなり数秒で不活化されるため，NOが体血管系に作用することはなく肺に限局的に作用する．このためメトヘモグロビン量は増加する．
- ❥NOは酸化されて有害な二酸化窒素になる．
- ❥有害事象
  - ・左心不全の増悪
  - ・メトヘモグロビン血症
  - ・減量・中止時における肺動脈圧上昇，血圧の低下，心拍数の上昇，SpO_2の低下
  - ・二酸化窒素による気道損傷
  - ・肺高血圧クライシス（PH crisis）

○駆動源（医療ガス）

- ❥人工呼吸器本体に供給される酸素の圧力は，$400 \pm 40\ kPa$.
- ❥人工呼吸器本体に供給される治療用空気の圧力は，$400 \pm 40\ kPa$.
- ❥医療ガス配管からの送気圧力はJIS T 7101で規定されている．

問題 1　□□□　31A64

呼気終末二酸化炭素分圧（PETCO₂）値を低下させる因子はどれか.

1. 高体温
2. シバリング
3. 閉塞性換気障害
4. 循環血液量減少
5. 麻酔器ソーダライム劣化

問題 2　□□□　24P21

人工呼吸管理中にアラームが鳴り, カプノメータの波形が消失していた. 心電図モニタは心拍数 110 回/分, 観血的動脈圧は収縮期圧 170 mmHg, パルスオキシメータは SpO₂ 86％を示していた. これらの所見から最初に考えるべき原因はどれか.

a. 事故抜管
b. 片肺挿管
c. ファイティング
d. 緊張性気胸
e. 呼吸回路の外れ
1. a, b　2. a, e　3. b, c　4. c, d　5. d, e

問題 3　□□□　29P64

人工呼吸器のグラフィックモニタで評価できないのはどれか.

a. 気道抵抗
b. カフリーク
c. 機能的残気量
d. 肺内シャント
e. 肺胸郭コンプライアンス
1. a, b　2. a, e　3. b, c　4. c, d　5. d, e

問題 4　□□□　34A65

カプノメータについて誤っているのはどれか.

1. 肺胞死腔があると呼気終末二酸化炭素分圧は上昇する.
2. 二酸化炭素の赤外線吸収を応用している.
3. 呼吸ガスの二酸化炭素分圧を測定する.
4. メインストリーム方式ではアダプタの死腔が大きい.
5. カプノグラムでの波形低下は回路のリークを示唆する.

問題 5　□□□　34P64

パルスオキシメータについて正しいのはどれか.

1. 動脈血酸素分圧を測定する.
2. 足趾では測定できない.
3. 紫外光の吸光度により判定する.
4. 循環不全では動脈波の検出が難しい.
5. マニキュアの影響は受けない.

問題 6　□□□　35A66

経皮的血液ガス分圧測定装置について正しいのはどれか.

a. 計測皮膚面を 42～44℃に加温する.
b. 皮膚表面に拡散する酸素と二酸化炭素を装着したセンサで計測する.
c. センサ装着から計測値が安定するまで 3 分程度を要する.
d. 経皮的に測定した PtcCO₂ は PaCO₂ と同等または低値となる.
e. 経皮的に測定した PtcO₂ は PaO₂ と同等または低値となる.
1. a, b, c　2. a, b, e　3. a, d, e
4. b, c, d　5. c, d, e

問題 7　　□□□　35P64

動脈血液ガスについて正しいのはどれか.

a. ベースエクセス（BE）は酸塩基平衡の目安となる.
b. pH の基準値は 7.00 である.
c. HCO_3^- の基準値は 20±2 mEq/L である.
d. CO_2 分圧の基準値は 35〜45 mmHg である.
e. 酸素分圧の基準値は年齢により異なる.

1. a, b, c　2. a, b, e　3. a, d, e
4. b, c, d　5. c, d, e

問題 8　　□□□　28P68

吸気側回路に組み込まないのはどれか.

a. 人工鼻
b. カプノメータ
c. 温度センサ
d. ウォータートラップ
e. バクテリアフィルタ

1. a, b　2. a, e　3. b, c　4. c, d　5. d, e

問題 9　　□□□　31P63

ICU で用いられる人工呼吸器の構成要素はどれか.

a. 呼気弁
b. 気道内圧モニタ
c. 酸素濃度調節装置
d. 二酸化炭素吸収装置
e. ピンインデックスシステム

1. a, b, c　2. a, b, e　3. a, d, e
4. b, c, d　5. c, d, e

問題 10　　□□□　31P68

ジャクソンリース回路について正しいのはどれか.

1. 自己膨張式バッグが使用されている.
2. 吸気弁が使用されている.
3. 自発呼吸はできない.
4. 呼気の一部を再吸入する.
5. 酸素流量は 4 L/分以下で使用する.

問題 11　　□□□　27A65

ジャクソンリース回路（流量膨張式バッグ）で正しいのはどれか.

a. 新生児には使用できない.
b. 適正ガス流量は分時換気量の 5 倍である.
c. バッグサイズは必要換気量に応じて選ぶ.
d. 再呼吸を生じる.
e. コンプライアンスを把握できない.

1. a, b　2. a, e　3. b, c　4. c, d　5. d, e

問題 12　　□□□　27A68

人工呼吸器本体に供給する酸素の適正なおよその圧力 [kPa] はどれか.

1. 100
2. 200
3. 300
4. 400
5. 500

問題 13　　□□□　35P65

加温加湿器と人工鼻に関して正しいのはどれか.

a. 人工鼻では死腔が減少する.
b. 加温加湿器と人工鼻の併用により十分な加湿が可能となる.
c. 人工鼻の方が気道粘膜熱傷のリスクが少ない.
d. 気道分泌の多い患者では加温加湿器を選択する.
e. ヒータワイヤを持たない加温加湿器では回路内に結露を生じやすい.

1. a, b, c　2. a, b, e　3. a, d, e
4. b, c, d　5. c, d, e

問題 14　　□□□　35A69

用手換気器具について正しいのはどれか.

1. バッグバルブマスクは酸素の供給がないと膨らまない.
2. バッグバルブマスクは加圧時の感触で患者の肺の硬さを知ることができる.
3. ジャクソンリース回路では感染予防のバクテリアフィルタは不要である.
4. ジャクソンリース回路は患者呼気がバッグに混入する.
5. ジャクソンリース回路は酸素なしでも使用できる.

一酸化窒素吸入療法について正しいのはどれか.

　a．一酸化窒素には血管拡張作用がある.
　b．一酸化窒素は酸化されて有害な二酸化窒素になる.
　c．一酸化窒素はヘモグロビンと結合すると失活する.
　d．一酸化窒素吸入により換気血流不均等が悪化する.
　e．一酸化窒素吸入によりメトヘモグロビンが減少する.

1．a，b，c　　2．a，b，e　　3．a，d，e
4．b，c，d　　5．c，d，e

加温加湿器について誤っているのはどれか.

1．加温加湿器は患者吸気の湿度によって制御される.
2．加湿器内の蒸留水は雑菌などの汚染に十分注意する.
3．ヒータワイヤは吸気回路内の結露を防ぐ.
4．ヒータワイヤのない回路は途中のウォータトラップが
必要である.
5．不十分な加湿は肺合併症の原因となる.

パルスオキシメータについて正しいのはどれか.

　a．動脈血の酸素分圧を計測している.
　b．2種類の赤色光によって計測している.
　c．発光ダイオードとフォトダイオードが用いられる.
　d．マニキュアは誤差の要因となる.
　e．強い外光は誤差の要因となる.

1．a，b，c　　2．a，b，e　　3．a，d，e
4．b，c，d　　5．c，d，e

一酸化窒素吸入療法の有害事象として誤っているのはどれか.

1．左心不全の増悪
2．メトヘモグロビン血症
3．中止後の肺動脈圧の上昇
4．二酸化窒素による気道損傷
5．体血管拡張による血圧低下

人工鼻について正しいのはどれか.

1．死腔が減少する.
2．喀痰が多い症例でも使用できる.
3．呼吸回路はシンプルになる.
4．加温加湿器と併用する.
5．気道粘膜熱傷に注意する.

〈解答〉問題1-4，問題2-2，問題3-4，問題4-1，問題5-4，問題6-2，問題7-3，問題8-1，問題9-1，問題10-4，問題11-4，問題12-4，問題13-5，問題14-4，問題15-1，問題16-1，問題17-5，問題18-5，問題19-3

2. 呼吸療法技術

（1）総論

呼吸療法装置 第2版
生体への影響
p.129〜130
開始基準
p.150〜151

○ **自発呼吸と人工呼吸**

人工呼吸管理の目的

- ❯ 肺胞換気量の維持
- ❯ 呼吸仕事量の軽減
- ❯ ガス交換能の改善
- ❯ 閉塞肺胞の開通
- ❯ 虚脱肺胞の再膨張
- ❯ 機能的残気量の増加
- ❯ 二酸化炭素の排出

人工呼吸による生体への影響 ────────── ★

呼吸器系	高い圧による過膨張，気胸，換気血流比不均等，圧損傷
循環器系	静脈還流障害，循環血液量減少，心拍出量減少，臓器機能低下，血圧低下
体液，腎機能	腎臓機能低下，抗利尿ホルモン（ADH）分泌促進による腎血流量減少，尿量低下
中枢神経系	胸腔内圧上昇による静脈還流量減少，頭蓋内圧亢進，脳圧の上昇，眼圧の上昇
精神	挿管による会話不成立，意思の疎通がはかれないなどによる不穏，抑鬱，せん妄
その他	気道感染

安静時の自発呼吸について

- ❯ 呼気時には吸気筋が弛緩して胸郭の大きさが戻る．
- ❯ 吸気・呼気ともに外肋間筋・横隔膜の収縮・弛緩により胸郭の大きさが変化し，それにより肺が受動的に拡張・収縮を行う．
- ❯ 能動的に作用はしていない．
- ❯ 吸気時・呼気時ともに肺内圧より胸腔内圧の方が低い．
- ❯ 胸腔内圧は常に陰圧である．
- ❯ 呼吸筋の活動は低い：安静時呼吸では横隔膜の活動が中心（75％）であり，呼吸筋の活動はわずか（約25％）である．

機械的陽圧換気

- ❯ 胸腔内圧は吸気時に上昇する．
- ❯ 吸気時には呼気弁が閉じる．
- ❯ 人工呼吸時の呼出は肺の弾性収縮によって自然に排出される．

不均等換気是正の方法

- ❯ EIP を使用する．
- ❯ PCV（圧規定換気）とする．
- ❯ PEEP を負荷する．

動脈血二酸化炭素分圧を低下させるのに有効

❯1回換気量を増やす.

❯呼吸回数を増やす.

❯呼吸回路の機械的死腔を減らす.

○人工呼吸開始基準 ──────────────────────────── ★

	呼吸パターン	努力呼吸
換気能力	呼吸数	>35 回/分以上，<6 回/分以下
	1 回換気量	<3〜5 mL/kg 以下
	肺活量	<10 mL/kg 以下
	$PaCO_2$	>60 mmHg 以上
	死腔換気率（VD/VT）	>0.6 以上
	$FEV_{1.0}$（1 秒率）	<10 mL/kg 以下
	吸気努力	<−20 cmH$_2$O 以下
酸素化能力	PaO_2（室内空気下）	<50 mmHg 以下
	PaO_2（酸素投与下）	<60 mmHg 以下（F_IO_2：0.6）
	A-aDO_2（F_IO_2：1.0）	>350 mmHg 以上
	シャント率（F_IO_2：1.0）	>15〜20%以上

慢性呼吸不全の侵襲的人工呼吸開始基準

❯去痰不能

❯奇異性呼吸

・左右胸郭の動きが非対称

・胸部と腹部の動きが非同調

・胸郭の一部が他と逆動作

❯動脈血酸素分圧（空気呼吸下）≦45 mmHg

・≦60 mmHg は急性呼吸不全例

❯動脈血 pH≦7. 20

❯呼吸数>40 回/分または <6 回/分

呼吸療法装置 第2版
p.150〜151

（2）人工呼吸器の設定

○換気設定とアラーム設定

単位

❯呼吸仕事量：kg・m・L^{-1}

❯肺活量：L

❯シャント率：%

❯肺コンプライアンス：L・cmH$_2$O^{-1}

❯気道抵抗：cmH$_2$O・L^{-1}・s

基本設定（初期設定）

1回換気量	10 mL/kg
換気回数	成人：12～15回/分 小児：15～20回/分 乳児：20～30回/分
F_IO_2	50～100%
I：E比	1：2
PEEP	3～5 cmH$_2$O
トリガ感度	−2～−1 cmH$_2$O
フロートリガ	2～3 L/min 前後
最高気道内圧	40 cmH$_2$O 以下

吸気トリガ

- ❯回路の水たまりは誤動作の原因となる.
- ❯感度を上げるとわずかな呼吸努力を検知して送気するので呼吸困難感は減少する.
- ❯圧トリガ
  - ・回路内圧の低下を感知して吸気ガスを送気する方法.
  - ・呼気終末圧から 1～2 cmH$_2$O 低く設定する.
- ❯フロートリガ
  - ・回路内に一定量の定常流を流しておき, 流量変化を感知して送気する方法.
  - ・感度は 3～5 L/min.
  - ・常に定常流が流れているため圧トリガより呼吸困難感が少ない.

人工呼吸器の設定で1回換気量を変えずに呼吸数を8回/分から12回/分に増加させた時に予測される変化

- ❯平均気道内圧の上昇
- ❯動脈血二酸化炭素分圧の低下
- ❯呼気終末二酸化炭素分圧の低下
- ❯I：E比の増加：呼吸の周期は呼吸数が増加するため短くなるが, 吸気時間は変化しないため

（3）患者状態の把握

呼吸療法装置　第2版
呼吸不全の原因
p.66～71
CO$_2$ナルコーシス
p.91
VAP
p.174

○患者アセスメント

人工呼吸換気設定で $PaCO_2$ を規定する ──────────── ★

- ❯$PaCO_2$ の規定因子は二酸化炭素産生量と分時肺胞換気量.
- ❯$PaCO_2＝(0.863×二酸化炭素産生量)÷分時肺胞換気量$
- ❯二酸化炭素産生量：体温, 代謝が関与
- ❯分時肺胞換気量＝(1回換気量−解剖学的死腔量)×換気回数

動脈血二酸化炭素分圧（$PaCO_2$）上昇の原因

- ❯呼吸回路のリーク
- ❯呼気弁の故障
- ❯肺胞死腔の増加

低酸素血症を呈する病態

- 肺胞低換気
- 拡散障害
- 換気血流比不均等分布
- シャント

気管挿管中の患者の胸郭の動きに左右差がみられたときの原因 【36回】 ──── ★★

- 片肺挿管
- 気胸
- 無気肺
- 主気管支の痰づまり
- 胸水貯留
- 腫瘍　など

呼吸管理における酸素化に関わるモニタリング項目

- 酸素供給の指標
  - 動脈血酸素分圧（PaO_2）
  - 動脈血酸素飽和度（SpO_2）
  - 酸素運搬量＝心拍出量×動脈血酸素含有量
  - 動脈血酸素含有量：$1.34×血中 Hb 濃度×SpO_2＋0.0031×PaO_2$
    - ※ 1.34 はメトヘモグロビンを除いた値
- 肺胞の酸素化能力の指標
  - P/F（PaO_2/F_{IO_2}：吸入気酸素）
  - 酸素化指標（oxygen index：OI）
- 酸素需要の指標
  - 静脈血酸素分圧（P_VO_2）
  - 混合静脈血酸素飽和度（SvO_2）：末梢組織の酸素需要を反映する
- 換気量の指標
  - 呼気終末二酸化炭素分圧（$PETCO_2$）
  - 動脈血二酸化炭素分圧（$PaCO_2$）
  - シャント率

病態とその指標の変化

- 肺拡張低下：VT（1回換気量）低下
- 呼吸筋疲労：MVV（最大自発換気量）低下
- 肺胞換気低下：$PaCO_2$ 上昇
- 低酸素血症：SpO_2 低下
- I型呼吸不全：$A-aDO_2$ 開大

肺機能検査

- ％肺活量の正常値は 80％以上である．
- 1秒率の正常値は 70％以上である．
- 肺気腫では残気率が上昇する．
- 拘束性肺疾患では％肺活量が低下する．

❷機能的残気量は予備呼気量と残気量との和である.

○有害事象・合併症
CO₂ナルコーシス
❷高二酸化炭素血症により脳内 pH が急激に低下して意識障害を伴い，中枢神経症状を伴う病態.
❷COPD などの慢性 II 型呼吸不全の患者で高濃度酸素を投与された後に発症
・呼吸中枢の刺激を抑制
・自発呼吸の減弱
・呼吸性アシドーシス
・頭痛
・意識障害（傾眠，昏睡，けいれん）などがみられる.
❷昏睡に至る症状：頭痛，発汗，顔面紅潮，四肢の不随意運動，血圧上昇

人工呼吸器関連肺炎（VAP）【36 回】 ────────── ★★
❷「気管挿管による人工呼吸開始 48 時間以降に発症する肺炎」と定義.人工呼吸管理前には肺炎がないことが条件である.
❷発症機序（リスク因子）
・気管チューブの外側を介して声門下カフ上の口腔内貯留物が気管へ侵入する.
・侵入経路のほとんどが経気道的.
・人工呼吸器によって気管末梢へ播種される.
・経鼻胃管
・気管挿管
・鎮静薬
・頻回な回路交換
❷臨床診断
・胸部 X 線異常陰影の出現
・肺酸素能低下
・炎症反応の亢進
・膿性気道分泌物
❷治療方法
・早期に予想される病原菌に対する抗菌薬投与.
❷予防方法
・側孔付き気管内チューブを使用するのが望ましい：カフ上部の貯留物を吸引するため，カフ付き気管チューブでは予防できない.
・気管吸引操作は清潔操作とし，必要最小限にとどめる.
・口腔ケアを実施する（8 時間ごとを推奨）.
・VAP バンドルの実施
手指衛生を確実に実施する.
人工呼吸器回路を頻回に交換しない：7 日未満での交換は推奨しない.
適切な鎮静・鎮痛をはかる.特に過鎮痛を避ける.
人工呼吸器から離脱ができるかどうか，毎日評価する.
人工呼吸中の患者を仰臥位で管理しない：上肢挙上は 30〜45 度のセミファウラー位.

（4）人工呼吸の維持

○ **喀痰吸引の資格，手技**　【34回】【37回】———————————————————————— ★★

❥吸引カテーテルは気管分岐部まで進めないようにする．

❥成人では，口腔から 22〜28 cm，鼻腔から 24〜30 cm，声帯下から 10〜13 cm で分岐部に到達．

❥気管吸引は必要な時に適宜行う．

❥吸引時のピストン運動は気管壁を損傷する危険性がある．

❥自発呼吸がある患者では吸気時にタイミングを合わせて吸引カテーテルを挿入する．

❥気管吸引の適応となる患者

・気管切開，気管挿管などの人工気道を用いている患者

・自身で効果的な喀痰喀出ができない患者

❥頻回の吸引は感染のリスクが高まる．

❥吸引時間は 10〜15 秒以内とする．

❥吸引操作の前後は，用手的人工呼吸器により，十分な換気を確保する必要がある．

❥適切な吸引圧は −150〜−120 mmHg（−200〜−160 hPa）である．

❥吸引カテーテルサイズは人工気道内径の半分を最大としてそれ以下のものを使用する．

・成人：6〜12 Fr　※ 3 Fr≒1 mm

・幼児：6 Fr 以下

閉鎖式吸引

❥気道内圧の急激な低下を避けられる．

❥人工呼吸器を装着したまま吸引が行える．

❥気道内圧や PFEP を維持したまま吸引を実装することが可能．

開放式吸引

❥吸引を行う直前に気管チューブに接続されている人工呼吸器のコネクタを外すため，気道内が大気開放の状態になる．

気管吸引の合併症

気道粘膜などの損傷	血圧変動	無気肺
低酸素血症	呼吸停止	気胸
肺コンプライアンスおよび FRC の低下	嘔吐 気管支攣縮	頭部損傷（頭蓋内圧の上昇・脳内出血・脳浮腫増悪）
不整脈・心停止	不快感・疼痛	
徐脈	院内感染	

気管吸引（喀痰吸引）が業務として認められている職種

❥医師

❥看護師

❥臨床検査技師

❥臨床工学技士

❥理学療法士

❥作業療法士

❷言語聴覚士などのリハビリテーション関係職種

（5）人工呼吸器からの離脱

呼吸療法装置　第2版
p.154〜156

ウィーニングの条件　【36回】────────────────── ★★
❷原疾患の改善（心不全，肺梗塞など）
❷循環動態や血ガス値の安定化

ウィーニング開始基準

換気予備力	呼吸回数	10〜30回/分
	分時換気量	10 L/分
	肺活量	12〜15 mL/kg
	最大吸気圧	25 cmH$_2$O 以上
酸素化能	PaO$_2$	80 mmHg 以上（F$_I$O$_2$：40%）
	A-aDO$_2$	350 mmHg（F$_I$O$_2$：100%）
換気効率	PaCO$_2$	50 mmHg 以下
	V$_D$/V$_T$	0.58 以下

ウィーニングに用いられる換気モード ───────────────── ★
❷CPAP：すべての患者の自発呼吸によって行われるので，PEEP圧サポートレベルを調整し，抜管の条件が満たされるまでサポートする．
❷PSV：1回の吸気を最高気道内圧で規定する補助換気モード．
❷SIMV：SIMVによる強制換気回数を減らしPSV（あるいはCPAP）モードとして支持換気を徐々に減らしていく．
❷ON-OFF法：人工呼吸器を一時的にOFFにする．

ウィーニングの中止
❷血圧の低下あるいは上昇
❷脈拍：20回/分以上の上昇，または110回/分以上
❷呼吸数：10回/分以上の上昇，または30回/分以上
❷1回換気量 ＜250〜300 mL
❷心電図の変化
❷PaO$_2$＜50 mmHg（F$_I$O$_2$：0.4）
❷pH＜7.35

問題 1　□□□ 24A69

気管挿管下での陽圧換気による影響で正しいのはどれか.

1. 体温上昇
2. 頭蓋内圧亢進
3. 気道クリアランス増加
4. 心拍出量増加
5. 尿量増加

問題 2　□□□ 27P66

慢性呼吸不全の侵襲的人工呼吸開始基準として誤っているのはどれか.

1. 去痰不能
2. 奇異性呼吸
3. PaO_2（空気呼吸下）≦60 mmHg
4. 動脈血　pH≦7.20
5. 呼吸数 >40 回/分

問題 3　□□□ 30P67

慢性閉塞性肺疾患（COPD）の診断で通院中の患者（62歳，男性，体重 50 kg）が増悪して緊急入院となった. 人工呼吸開始基準として誤っているのはどれか.

1. VT　100 mL
2. VC　850 mL
3. $FEV_{1.0}$（1 秒量）　400 mL
4. $PaCO_2$　60 mmHg（FIO_2 0.21 において）
5. 呼吸数　42 回/分

問題 4　□□□ 30P66

CO_2 ナルコーシスの主な所見はどれか.

a. 高度な呼吸性アシドーシス
b. 自発呼吸減弱
c. 意識障害
d. 血圧低下
e. 徐脈

1. a, b, c　2. a, b, e　3. a, d, e
4. b, c, d　5. c, d, e

問題 5　□□□ 27P67

病態とその指標の変化との組合せで誤っているのはどれか.

1. 肺拡張低下 ——————— VT 低下
2. 呼吸筋疲労 ——————— MVV（最大自発換気量）低下
3. 肺胞換気低下 ——————— $PaCO_2$ 上昇
4. 低酸素血症 ——————— SpO_2 低下
5. 高二酸化炭素血症 —— $A\text{-}aDO_2$ 開大

問題 6　□□□ 31P66

人工呼吸器の換気設定で $PaCO_2$ に直接影響するのはどれか.

a. 換気回数（RR）
b. 1 回換気量（VT）
c. 吸気終末休止（EIP）
d. 呼気終末陽圧（PEEP）
e. 吸入酸素濃度（F_IO_2）

1. a, b　2. a, e　3. b, c　4. c, d　5. d, e

問題 7　□□□ 25A66

人工呼吸器関連肺炎で正しいのはどれか.

1. カフ付気管チューブでは予防できない.
2. 予防には呼吸回路を毎日交換する.
3. 吸気ガスからの感染が最も多い.
4. 閉鎖式吸引は予防に有効である.
5. 人工呼吸開始 24 時間以内に発症する.

問題 8　□□□ 25A64

気管内吸引の合併症でないのはどれか.

1. 無呼吸
2. 無気肺
3. 低酸素血症
4. 気管支収縮
5. 頭蓋内圧低下

気管吸引について正しいのはどれか.

    a. 人工呼吸器装着中は時間を決めて行う.
    b. 人工呼吸器装着中は換気量や気道内圧が効果の指標
       となる.
    c. 1回の吸引操作で10秒以上の陰圧はかけない.
    d. 重篤な低酸素血症は絶対的禁忌である.
    e. 滅菌手袋を使用しなければならない.
    1. a, b　2. a, e　3. b, c　4. c, d　5. d, e

人工呼吸器離脱が可能な状態として正しいのはどれか.

    1. 動脈血 pH　7.20
    2. PaO_2　40 mmHg（F_1O_2 0.21）
    3. $PaCO_2$　45 mmHg
    4. 1回換気量　4 mL/kg
    5. 呼吸回数　40/分

気管挿管中の患者の胸郭の動きに左右差が見られた.
疑われる原因はどれか.

    a. 片肺挿管
    b. 気　胸
    c. 呼吸回路の接続外れ
    d. 気管チューブの食道挿管
    e. 主気管支の痰づまり
    1. a, b, c　2. a, b, e　3. a, d, e
    4. b, c, d　5. c, d, e

人工呼吸管理中の気管吸引について正しいのはどれか.

    a. 吸引時間は10秒程度とする.
    b. 医師または看護師だけが実施できる.
    c. 時刻を決めて定期的に実施する.
    d. 吸引圧は30 kPa以上とする.
    e. 吸引カテーテル外径は気管チューブ内径の50%以下
       とする.
    1. a, b　2. a, e　3. b, c　4. c, d　5. d, e

人工呼吸器関連肺炎（VAP）対策として正しいのはどれか.

    a. 約8時間ごとに口腔ケアを行う.
    b. 人工呼吸器回路を毎日交換する.
    c. 体動防止のため過鎮静にする.
    d. 患者を仰臥位で管理する.
    e. 人工呼吸器から離脱できるかどうか，毎日評価する.
    1. a, b　2. a, e　3. b, c　4. c, d　5. d, e

〈解答〉問題 1-2，問題 2-3，問題 3-2，問題 4-1，問題 5-5，問題 6-1，問題 7-1，問題 8-5，問題 9-3，問題 10-2，問題 11-2，問題 12-3，問題 13-2

3. 在宅呼吸管理

（1）酸素療法

○**在宅酸素療法**【34回】【37回】━━━━━━━━━━━━━━━━━━━━ ★★
- ❯在宅酸素療法の対象
  - ・PaO_2 が 55 mmHg 以下，および PaO_2 が 60 mmHg 以下で睡眠時または運動負荷時に著しい低酸素血症をきたす者であって，医師が在宅酸素療法を必要であると認めた者．
- ❯適応疾患
  - ・慢性閉塞性肺疾患（chronic obstructive pulmonary disease：COPD）が最も多い
  - ・高度慢性呼吸不全
  - ・肺高血圧症
  - ・慢性心不全
  - ・チアノーゼ性先天性心疾患
  - ・気道確保に問題のない神経筋疾患（ALS など）
- ❯呼吸不全の判定には動脈血酸素分圧，動脈血二酸化炭素分圧の測定は必要である．
- ❯在宅酸素療法では，液化酸素や酸素濃縮装置，酸素ボンベが使用される．
- ❯デマンドバルブ（呼吸同調装置）によって酸素ボンベの連続使用時間が 2〜3 倍に伸びる．
- ❯CO_2 ナルコーシスの発症に注意する．

○**人工呼吸**【33回】━━━━━━━━━━━━━━━━━━━━━━━━ ★★
- ❯適応基準は低酸素血症の原因が高二酸化炭素血症を伴う II 型呼吸不全である．
- ❯気管切開患者は適応である．
- ❯家族は HMV（home mechanical ventilation：在宅人工呼吸療法）開始に至るまで，1 カ月以上に及ぶ教育・訓練・実習などを経て HMV への準備を整える．
- ❯一般家庭には酸素や空気の配管がないことから，人工呼吸器の中にシリンダなどを設置し，駆動源は電源だけである必要がある．

家庭で備えるべき器具	医療機関が具備すべき機器
・パルスオキシメータ ・用手式人工呼吸器 ・吸引器 ・血圧計 ・心電図モニタ　など	・胸部 X 線撮影装置 ・気道内分泌物吸引装置 ・動脈血ガス分析装置 ・酸素吸入設備 ・気管内挿管または気管切開の器具 ・レスピレータ（人工呼吸器）　など

○**非侵襲的陽圧換気方式**（NPPV：non-invasive positive pressure ventilation）
【34回】【35回】━━━━━━━━━━━━━━━━━━━━━━━━━━ ★★
- ❯専用のフェイスマスクや鼻マスクを患者に装着し，人工呼吸器から陽圧を送る方式．
- ❯チューブによる気道損傷や人工呼吸器関連肺炎（ventilator-associated pneumonia：VAP）などの合併症を回避できる利点がある．
- ❯1 万例以上の症例に用いられている．
- ❯COPD 患者では NPPV の使用頻度が高く，気管切開下人工呼吸療法（TPPV：

tracheostomy positive pressure ventilation）の頻度は低い．

❯TPPV に比べて患者の侵襲は小さい．

❯適応（使用目的）
・呼吸不全の挿管回避例や頻呼吸
・呼吸努力増大による呼吸仕事量の軽減
・自発呼吸の弱い患者への換気補助

❯適応疾患
・COPD 急性増悪
・重度の睡眠時無呼吸症候群
・喘息重積発作
・心原性肺水腫
・胸郭形成術
・咽頭痙攣
・気管内挿管不適応
・筋ジストロフィー
・脊髄性筋萎縮症および神経疾患における高二酸化炭素血症

❯導入条件
・意識状態が良く協力的である．
・循環動態が安定している．
・気管挿管が必要でない（気道が確保できている，喀痰の排出ができる）．
・顔面の外傷がない．
・マスクを装着することが可能である．
・消化管が活動している状態である．

❯禁忌事項
・非協力的で不穏である．
・気道が確保できない．
・呼吸停止
・昏睡・意識状態が悪い．
・解剖学的異常でマスクがフィットしない．
・2 つ以上の臓器不全がある．
・心筋梗塞が起こりつつある．
・不安定狭心症である．
・咳嗽反射がない，または弱い．痰の排出困難．
・ドレナージされていない気胸がある．
・嘔吐や腸管の閉塞およびアクティブな消化管出血がある．
・呼吸筋麻痺をきたした筋萎縮性側索硬化症（ALS）
・ショック

問題 1　□□□　34A67

在宅での非侵襲的陽圧換気（NPPV）について正しいのはどれか.

- a. 気管切開孔に接続して用いる.
- b. 喀痰量が多くても用いることができる.
- c. 対象疾患として慢性閉塞性肺疾患（COPD）が最も多い.
- d. 重度の睡眠時無呼吸症候群では用いられる.
- e. 1万例以上の症例において用いられている.
1. a, b, c　2. a, b, e　3. a, d, e
4. b, c, d　5. c, d, e

問題 2　□□□　35P66

COPD 患者の在宅 NPPV について正しいのはどれか.

- a. 日中は NPPV で, 夜間は酸素吸入療法を用いることが多い.
- b. TPPV に比べて患者への侵襲は大きい.
- c. 換気補助による呼吸筋の負担を軽減できる.
- d. TPPV よりも使用頻度が高くなっている.
- e. 排痰の多い症例でも安全に使用できる.
1. a, b　2. a, e　3. b, c　4. c, d　5. d, e

問題 3　□□□　28P67

在宅人工呼吸療法（HMV）で正しいのはどれか.

1. I型呼吸不全患者が適応である.
2. 気管切開患者は適応でない.
3. 家族は HMV の教育を受ける必要がある.
4. 人工呼吸器はガス駆動である.
5. パルスオキシメータは用いられない.

問題 4　□□□　33P67

在宅人工呼吸（HMV）を施行する医療機関が具備すべき機器はどれか.

- a. 胸部エックス線撮影装置
- b. 気道内分泌物吸引装置
- c. 血液ガス分析装置
- d. 二酸化炭素吸収装置
- e. 膜型人工肺
1. a, b, c　2. a, b, e　3. a, d, e
4. b, c, d　5. c, d, e

問題 5　□□□　28A67

NPPV の適応になるのはどれか.

1. 喀痰排出困難を伴う COPD 急性増悪
2. ショックを呈する心原性肺水腫
3. 呼吸停止を来した喘息発作
4. 免疫不全を伴った軽度の ARDS
5. 呼吸筋麻痺を来した筋萎縮性側索硬化症

問題 6　□□□　22P66

NPPV が適応となる呼吸不全はどれか.

- a. COPD の急性増悪
- b. 心原性肺水腫
- c. 胸郭形成術
- d. 一酸化炭素中毒
- e. 気胸
1. a, b, c　2. a, b, e　3. a, d, e
4. b, c, d　5. c, d, e

問題 7　□□□　37P66

在宅酸素療法について誤っているのはどれか.

1. COPD の予後を改善する.
2. 液化酸素を用いる場合がある.
3. 慢性心不全に有効である.
4. CO_2 ナルコーシスの発症に注意する.
5. 肺高血圧症に禁忌である.

〈解答〉問題 1-5，問題 2-4，問題 3-3，問題 4-1，問題 5-4，問題 6-1，問題 7-5

4. 安全管理

（1）安全対策

呼吸療法装置　第2版
p.161〜164

○ 気道内圧変化 【37回】 ★★

気道内圧上限アラームの原因	気道内圧下限アラームの原因
・ファイティング ・自発呼吸の出現 ・患者の気管・気管チューブの閉塞 ・気道抵抗増加 ・人工鼻の目詰まり ・肺胸郭コンプライアンスの低下 ・人工呼吸器の呼気側回路の閉塞 ・呼気弁の閉塞 ・気管支喘息発作 ・PEEP弁の誤操作 ・咳嗽反射の重積 ・換気量の過剰設定	・気管チューブのカフ圧不足によるリーク ・気道抵抗低下 ・肺胸郭コンプライアンスの上昇 ・患者の吸気努力が強い時 ・加温加湿器の破損（リーク） ・呼吸回路からのリーク ・呼気弁の閉鎖不良 ・無気肺の改善 ・気管支攣縮の軽快

○ 回路内圧上昇への対処法

- ❯ 気管チューブの閉塞：気管チューブの交換
- ❯ 気管内分泌物の貯留：気管吸引
- ❯ 回路の閉塞：閉塞の解除
- ❯ 呼気弁の異常（閉塞）：呼気弁の交換
- ❯ 換気量の増加：換気量の設定変更
- ❯ 機械的換気が自発呼吸に同期しない：呼吸様式，トリガ感度や他の設定の変更

○ ファイティング 【34回】 ★★

人工呼吸器側の要因	患者側の要因
・患者の呼息と人工呼吸器との不同調 ・リークなどによる低換気	・気道閉塞 ・分泌物貯留 ・肺コンプライアンス低下 ・鎮静不十分

○ 人工呼吸管理の災害時の対応 【36回】 ★★

- ❯ 常時から非常電源用コンセントに電源プラグを接続しておく．
- ❯ 専用外部バッテリの用意をしておく．
- ❯ 用手的換気装置の用意をしておく．
- ❯ 医療ガス安全管理委員会に設備，配管の点検を依頼する．
- ❯ 停電後の復電時には，サージ電流対策を講じる．

○ その他 【37回】 ★★

- ❯ 弁の開放不全：圧損傷
- ❯ 呼吸流路の屈曲：換気の異常
- ❯ 呼吸回路内のリーク：高二酸化炭素血症
- ❯ 加温加湿器の停止：喀痰の硬化

呼吸療法装置　第2版
p.157〜161

（2）日常・定期点検

○人工呼吸器　【35回】 ━━━━━━━━━━━━━━━━━━━━━━━━ ★★

テスト肺を用いた点検項目

- ◗換気量
- ◗回路内圧
- ◗換気回数
- ◗トリガ感度
- ◗PEEP

点検の種類

始業点検	・呼吸回路（破損，亀裂，折れ，ねじれなどの確認） ・駆動源（電源コード，電源プラグ，耐圧管，アダプタの破損，亀裂などの確認） ・加温加湿器（破損，亀裂，滅菌水量，温度の確認） ・呼吸回路のリークテスト ・テスト肺による作動点検（換気能力，トリガ感度，換気モード，モニタ・アラーム機能など）
使用中点検	・換気設定 ・呼吸回路 ・機器の異常 ・加温加湿器 ・警報装置
終業点検	・機器本体 ・呼吸回路の異常点検 ・交換，消毒，洗浄
定期点検	・人工呼吸器のもつ各種性能および安全性の点検
故障点検	・人工呼吸器使用中に故障が発見された時に行う点検 ・故障の原因を究明

臨床工学技士国家試験問題　**Check UP!**

問題1 □□□　27A67

人工呼吸中，気道内圧下限アラームが鳴った．原因として
考えられるのはどれか．

1. カフリーク
2. 低肺コンプライアンス
3. 気道抵抗増加
4. 人工鼻の目詰まり
5. ファイティング

問題2 □□□　28P63

VCV（volume control ventilation）施行中に気道内圧
上昇を来すのはどれか．

a. カフリーク
b. 片肺挿管
c. 気管支痙攣
d. ファイティング
e. 肺コンプライアンス増加
1. a, b, c　2. a, b, e　3. a, d, e
4. b, c, d　5. c, d, e

問題3　□□□　34P65

人工呼吸中のファイティングの原因として考えにくいのはどれか.

1. 不適切な換気パターン
2. 気道分泌物の貯留
3. 鎮静薬の投与不足
4. 血圧の低下
5. 咳嗽発作

問題4　□□□　35A68

人工呼吸器の使用前点検について誤っているのはどれか.

1. リークテストは人工呼吸器の自己診断機能を活用する.
2. テスト肺を用いてトリガ感度を確認する.
3. テスト肺を外してアラームが鳴ることを確認する.
4. 電源プラグを引き抜いてバックアップ電源で動作することを確認する.
5. 加温加湿器に適量の生理食塩液を入れる.

問題5　□□□　36A69

人工呼吸管理の災害時への対応として誤っているのはどれか.

1. 常時から非常電源用コンセントに電源プラグを接続しておく.
2. 用手的換気装置の用意をしておく.
3. 医療ガス安全管理委員会に設備, 配管の点検を依頼する.
4. 人工呼吸器の内部バッテリを優先して使用する.
5. 停電後の復電時には, サージ電流対策を講じる.

問題6　□□□　37P64

人工呼吸器の異常と有害事象との組合せで誤っているのはどれか.

1. 呼気弁の開放不全 ―――――― 圧損傷
2. 呼吸流路の屈曲 ―――――――― 換気の異常
3. 呼吸回路のリーク ――――――― 低二酸化炭素血症
4. 加温加湿の停止 ―――――――― 喀痰の硬化
5. 吸入気酸素濃度の異常上昇 ―― 酸素中毒

問題7　□□□　37P67

量規定調節換気中の患者の気道内圧低下の原因として誤っているのはどれか.

1. 無気肺の改善
2. 気管支攣縮の軽快
3. 呼吸器回路からのガス漏れ
4. 気管チューブ先端の片肺への移動
5. 気管チューブのカフからの空気漏れ

〈解答〉問題1-1, 問題2-4, 問題3-4, 問題4-5, 問題5-4, 問題6-3, 問題7-4

II. 体外循環装置・補助循環装置

体外循環装置 第2版
p.21〜34

（1）血液ポンプ

○ **ローラポンプ** 【33回】【34回】 ━━━━━━━━━━━━━━━ ★★

- 2ローラタイプが一般的である.
- 流量を回転数から算出できる.
- オクリュージョンを適切にすることが重要である.
  - 適切なオクリュージョンに調整することにより逆流はほとんど生じない.
- チューブをしごいて血液を駆出させるため血液損傷が遠心ポンプより大きい.
- 回路閉塞時の回路破裂の可能性がある.
- 吸引回路用のポンプに適する.
- 駆出される血液量は回転数に比例する.
- 停電時,手動で運転できる.

圧閉度調整

- 落差1mで調節する.
- 滴下速度は毎分6〜13滴とする.
- 過度の圧閉
  - 血球が押しつぶされる.
  - 溶血を増大する.
- 不十分な圧閉
  - 逆流を発生させる.
  - 逆流により正確な流量がわからない.
  - 溶血を増大する.

○ **遠心ポンプ** 【33回】【34回】【37回】 ━━━━━━━ ★★★

- 形状は粘性摩擦型,インペラタイプ,直流流路タイプに大別できる.
- 回転部分にマグネットが内蔵されている.
- 流量計を必要とする.
- 遠心ポンプ血流計は超音波式,電磁式があり,主流は流量校正が不要な超音波式.
- ポンプの流量特性は,回転数・流入圧・駆出圧で規定する.
- 内部の回転子は1000〜5000回転/分で回転する.
- 血液に対する影響（ダメージなど）が少ない.
- 抗凝固剤のコーティングがされている.
- 低回転では逆流を生じるので鉗子操作が必要である.
- 離脱前の低流量時には回転数による流量制御が困難である.
- 冷却時に流量を維持する際には回転数をあげる必要がある.
- 人工心肺停止時には送血回路を鉗子で遮断し血液逆流を防ぐ.
- 長期補助循環（PCPSなど）に適している.

遠心ポンプの利点・欠点

利点	欠点
・ローラポンプに比べ溶血などの血液損傷が少ない. ・過度の陰圧発生がない. ・脱血に使用した場合, microbubble の発生が少ない. ・構造上, 空気を送りにくい形状. ・回路が閉塞しても圧力が上昇しない：回路破裂のリスクが少ない. ・本体はコンパクトで移動が容易. ・長時間の使用に耐えられる. ・流量, 回転数の autocontrol system を備えている.	・一般に後負荷に弱い. ・駆出される血液量は後負荷が高いほど減少する. ・吸引ポンプとして使用できない. ・拍動流ではない. ・末梢血管抵抗の増大や低体温における血液粘度の増加により, 同じ回転数でも吐出量が減少する. ・血液温が下がると粘性が増し, 流量が低下する. ・同じ回転数でも圧変動（前負荷, 後負荷）により流量が変動する. ・低速回転での流量制御は難しい. ・少量の空気が連続して流入した場合, 空気が砕かれて送られる.

ローラポンプ, 遠心ポンプ比較のまとめ

	ローラポンプ	遠心ポンプ
血液駆出量規定因子	回転数, チューブ内径	回転数, 後負荷, 前負荷
流量定値制御	容易	やや熟練を要す：とくに開始・離脱時に
流量計	不要	必要
血液損傷	遠心ポンプより重度	ローラポンプより軽度
回路閉塞時：危険な高圧	発生：回路破裂の危険大	回路破裂のリスクが少ない
過度の陰圧	生じやすい：微小気泡発生	生じない
ポンプ停止・低回転時の逆流	なし	あり
価格	安価	高価
駆動装置	大型	小型, 可搬性大
大量空気混入時の危険性	大	小
チューブの摩擦粉（微小粒子）	発生する	発生しない
チューブの圧閉度の調整	必要	不要
ベント・吸引ポンプとしての使用	可能	不可能
長期補助循環	不適	適

○拍動流と無拍動流（定常流）ポンプ 【35 回】　　★★

無拍動流ポンプ	ローラポンプ 遠心ポンプ（直流線型, コーン型, インペラ型） 軸流ポンプ
拍動流ポンプ	拍動流専用ポンプ（拍動流モード） 補助人工心臓（ダイアフラム型, サック型, チューブ型, プレッシャープレート型） IABP の併用

（2）人工肺

○構造，分類（気泡型・膜型），灌流方式　【33回】【34回】【36回】 ★★★

- ❯人工肺は血液ポンプの出口側に接続する．
- ❯膜型人工肺は，気泡型人工肺に比べて血球破壊が少ない．
- ❯膜型人工肺は，気泡型人工肺よりタンパク変性が生じにくい．
- ❯膜型人工肺は，中空糸を束ねた構造のものが主流である．
- ❯膜型人工肺は，中空糸膜の外側に血液，内側にガスを流す外部灌流型が主流である．
- ❯内部灌流型では血流が層流となる．
- ❯中空糸型人工肺は，PaO_2 と独立した $PaCO_2$ の制御が可能である．
- ❯中空糸膜の外径は，$200 \sim 400 \, \mu m$ 程度のものが多い．

外部灌流型の特徴　【36回】【37回】 ★★

- ❯ガス交換率が良い．
- ❯中空糸膜の外側を血液が流れる．
- ❯落差脱血に用いるのに適している．
- ❯内部灌流型より血流に乱流が生じやすい．
- ❯内部灌流型膜型肺より圧力損失が小さい．
- ❯内部灌流型膜型肺より多く用いられている．

ガス交換性能を向上させる方法

- ❯膜の中をガスが移動する抵抗が少ない（ガス透過性の高い）膜を用いる．
- ❯血液の中をガスが移動する抵抗は同じであるので，移動する距離を短くする（血液の流れを不均一にすることにより攪拌効果を上げる）．
- ❯ガスが移動する膜の厚みを薄くする．
- ❯膜面積を大きくする．
- ❯ガス分圧較差を大きくする．

○膜の材質，コーティング

多孔質膜（主にポリプロピレン）　【34回】【37回】 ★★

- ❯最も汎用されている．
- ❯$0.05 \, \mu m$ 程度の細孔が空いているが，疎水性のため，細孔からは血漿成分は漏出しない．
  - ・疎水性ではあるが，長時間使用すると親水化し，血漿漏出の原因となる．
- ❯膜厚は $25 \, \mu m$ 程度である．
- ❯強度が高いため膜厚を薄くすることが可能である．
  - ・材料によっては細孔が形成されるので，物質移動係数は高い．
- ❯細孔を通じて血液側からガス側への水蒸気透過がある．
- ❯中空糸多孔質膜の微小孔により血液と酸素が直接接触している．
- ❯wet lung は，人工肺内部の血液相とガス相を隔てる膜に水蒸気が結露することによるガス交換性能の低下である．

均質膜（主にシリコーン）　【34回】【36回】【37回】 ★★★

- ❯ガスは膜に溶解し，拡散して血液側に放出される．

- ❯気体透過係数は他の膜より高いが，機械的強度が低いため膜厚は厚くする必要がある.
- ❯膜厚は約 100 μm である.
- ❯シリコーンの気体透過係数はポリプロピレンより大きい.
- ❯血漿漏出は生じにくい.
- ❯ガスと血液とは非接触である：多孔質膜に見られるような微小孔がないため.
- ❯透過性は気体透過係数，物質移動係数とも酸素より二酸化炭素が高い.

複合膜

- ❯シリコーン膜などの均質膜の強度問題と多孔質膜の短所を補い工夫された膜.
- ❯細孔に分子レベルの薄いタンパクの膜が形成され，その膜を通じてガス交換が行われる.
- ❯多孔質膜の表面にシリコーンゴムやテフロンなどをコーティングしたものなどを用いる.
- ❯血漿成分の漏出はない.

（3）人工心肺

体外循環装置　第2版
p.45〜59

○ポンプチューブ

- ❯血液適合性材料で構成する.
- ❯回路用チューブには透明な材質を用いる.
- ❯ローラポンプチューブには摩擦粉を生じない材質を用いる.
- ❯可塑剤を多く含むポリ塩化ビニルチューブが用いられる.
- ❯回路接続用コネクタには一般的には疎水性のコネクタが用いられる.
- ❯人工心肺用の血液回路には JIS 規定はない：透析用血液回路は JIS で規定されている.

○カニューレ

- ❯充填血液量を少なくするためには小さな口径が有利である.
- ❯拍動流ポンプでは大きな口径のカニューレが必要である.
- ❯送血カニューレが細すぎると先端部でキャビテーションを生じる可能性がある.
- ❯送血カニューレが太すぎると動脈壁を損傷する.
- ❯血流に対して流路径を細くすると回路内圧は上昇する.

○動脈フィルタ 【33回】 ★★

- ❯素材には約 40 μm の疎水性メッシュフィルタ（濾過膜）を使用する.
- ❯人工肺の後（送血回路の最も下流）に設置する.
- ❯微小気泡・栓子除去.
- ❯血液は上部から流入し，下部から流出する.
- ❯人工肺に内蔵されているタイプもある→充填量の削減

○熱交換器 【33回】 ★★

- ❯臓器によって温度変化の程度が異なる.
- ❯血液が多管構造の外部を灌流している.
- ❯材質の多くは熱伝導の良いステンレス製またはアルミ製であるが，生体適合性の面か

らポリウレタンやポリエチレンを使用したものもある.

❷現在，熱交換器はそのほとんどが人工肺と一体化されている.

❷人工肺より上流に設置されている.

❷心筋保護液の冷却および加温にも用いられる.

○冷温水槽 【33回】 ━━━━━━━━━━━━━━━━━━━━━━━━━━━━━━━ ★★

❷冷水および温水を作製し熱交換器内に灌流する冷温水供給装置と接続する.

❷42℃未満の温水を流す.

❷送血温は灌流水の温度と流量で調節する.

○貯血槽

❷貯血槽にはハードシェルタイプとソフトバッグタイプがある.

❷最大貯血量は成人で 3000〜4000 mL，小児で 2000〜3000 mL のものが使用されている.

❷リザーバレベルは心筋保護，吸引などで常に変化している.

❷貯血量は成人用で 2〜5 L の容量が必要である.

❷40 μm 程度のフィルタ，除泡網，血液サンプリングポート，薬液注入ポートなどが装備されている.

ハードシェルタイプ	ソフトバッグタイプ
・ポリカーボネートなどの強靭で透明な材質からなる. ・多くは静脈貯血方式が採用されている. ・脱血時の気泡除去の目的で除泡フィルタを有している. ・上部に薬液注入ポートを有している. ・血液面レベルの監視がしやすいように透明になっている. ・血液が常時空気と接触している（開放型回路）が，容器が堅牢なため吸引補助脱血に使用可能である.	・柔らかい素材でできている. ・脱血量の調整はバッグを挟み込む幅を変えることで対応する（閉鎖型回路）. 　1段階での容量変化は 50〜100 mL（小児用），150〜250 mL（成人用）である. 　実際の容量を正確に読み取ることは少々困難である. ・脱血時の大量の気泡混入には煩雑な除去操作を要する. ・ソフトリザーバはそれ自体に陰圧をかけることができないため，吸引補助脱血に適さない. ・ソフトリザーバ内に空気はない.

○吸引回路，ベント回路 【33回】 ━━━━━━━━━━━━━━━━━━━━━━━━ ★★

❷肺動脈，左心房，左心室に挿入し，左心系の灌流血液を回収し，心内圧を下げる（過伸展防止）．無血視野の確保.

❷血液吸引回路：術野の血液回収

目的

❷心臓が停止すると，生理的なシャント（最大 5％程度）により血液が心室に充満し心筋の過伸展が起こるため心内の血液を排出する.

❷開心術中の無血視野の確保.

❷心臓内部の気泡抜き.

❷部分体外循環における左心室の前負荷を軽減する.

ポンプベント

❷ローラポンプの吸引力を利用して吸引する.

- 吸引量の調整が正確に管理でき，気泡も吸引できる.
- 過度の吸引による溶血や心臓内部への気泡の引き込み，ポンプの逆回転による空気送り込みの危険がある.

落差ベント

- 過吸引や逆流の危険がない.
- 回路を単純化できる.
- ベント流量の調整はできない.
- ベント回路に空気が混入すると air block をおこし，吸引力は失われる.

冠灌流回路 ★

- 大動脈遮断後，心筋保護液を注入する回路.

血液濃縮器 【35 回】 ★★

- メインの人工心肺回路と別の並列回路を必要とする.
- 中空糸膜の内・外側による膜間圧力差を原動力とした限外濾過により余分な水分を除去する.
- 内部灌流型の装置である.
- 排出液の Na，K 濃度は細胞外液型である（血漿中の電解質と等しい）.
- 親水性の多孔質中空糸膜が使用される.

臨床工学技士国家試験問題 Check UP!

問題 1 □□□ 29P69

遠心ポンプについて正しいのはどれか.

1. 吸引回路用のポンプに適している.
2. 駆出される血液量は回転数に正比例する.
3. 回路閉塞時に回路破裂の危険性が大きい.
4. 同じ回転数でも流量は後負荷によって変化する.
5. 低流量時の回転数調節による流量制御が容易である.

問題 2 □□□ 34A69

正しいのはどれか.

a．ローラポンプは回転数と流量が比例する.
b．ローラポンプは溶血の原因とならない.
c．遠心ポンプは流量計を必要としない.
d．遠心ポンプは容積型ポンプである.
e．遠心ポンプは回路破裂の危険がない.

1. a, b　2. a, e　3. b, c　4. c, d　5. d, e

拍動型ポンプはどれか.

 a．大動脈バルーンポンプ
 b．軸流ポンプ
 c．ローラポンプ
 d．遠心ポンプ
 e．空気圧駆動式補助人工心臓

1．a，b　2．a，e　3．b，c　4．c，d　5．d，e

膜型人工肺について正しいのはどれか.

 a．中空糸膜が主に使用される.
 b．多孔質膜が均質膜より多く使用される.
 c．外部灌流型が内部灌流型より多く使用される.
 d．親水性の膜が主に使用される.
 e．ポリエチレン製の膜が主に使用される.

1．a，b，c　2．a，b，e　3．a，d，e
4．b，c，d　5．c，d，e

人工肺に用いられるポリプロピレン多孔質膜について正しいのはどれか.

1．親水性である.
2．膜厚は $200\sim400\,\mu m$ である.
3．微細孔の大きさは $10\sim30\,\mu m$ である.
4．物質移動係数はシリコーン均質膜よりも高い.
5．ポリプロピレンの気体透過係数はシリコーンよりも高い.

膜型人工肺について正しいのはどれか.

1．均質膜では血液は酸素ガスと直接接触することはない.
2．気泡型人工肺よりもタンパク変性が生じやすい.
3．均質膜は多数の微細な孔の開いている構造からなる.
4．膜の形態はフィルム型とシート型とに大別される.
5．均質膜では長時間使用すると血漿漏出が起こる.

中空糸多孔質膜を用いた膜型肺について正しいのはどれか.

 a．血漿蛋白が膜に吸着すると中空糸は疎水性になる.
 b．血液と酸素は直接接触しない.
 c．外部灌流型は内部灌流型よりも圧損が小さい.
 d．外部灌流型は血液が外部，ガスが内部を通る.
 e．外部灌流型は内部灌流型よりも血流は層流になりやすい.

1．a，b　2．a，e　3．b，c　4．c，d　5．d，e

膜型人工肺について正しいのはどれか.

1．シリコーンの気体透過係数はポリプロピレンより大きい.
2．シリコーンを用いた多孔質膜が用いられている.
3．親水性の膜が用いられている.
4．内部灌流型が多数を占める.
5．ウェットラングは微小孔からの血漿漏出により生じる.

人工心肺装置について誤っている組合せはどれか.

 a．ベント回路 ―――― 心内圧減圧
 b．冠灌流回路 ―――― 心筋保護液注入
 c．遠心ポンプ ―――― 心腔内出血回収
 d．血液濃縮器 ―――― 余剰赤血球除去
 e．動脈フィルタ ―――― 微小気泡・栓子除去

1．a，b　2．a，e　3．b，c　4．c，d　5．d，e

人工心肺中の限外濾過による血液濃縮器について正しいのはどれか.

 a．内部灌流型の装置である.
 b．メインの送脱血回路に直列に組み込む.
 c．疎水性の多孔質中空糸膜を用いる.
 d．透析液を必要とする.
 e．排出液の Na，K 濃度は細胞外液型である.

1．a，b　2．a，e　3．b，c　4．c，d　5．d，e

人工心肺を用いた体外循環中に用いる血液濃縮器について正しいのはどれか.

1. メインの人工心肺回路と別の並列回路を必要とする.
2. 除水量の第一の規定因子は装置を通過する血液流量である.
3. 血清カリウム濃度の低下効果は透析装置と同等である.
4. 遠心力を用いて血球成分と血漿成分を分離する装置である.
5. 水分のみでなくアルブミンなどの血漿タンパクも除去される.

ローラポンプと比較した遠心ポンプの特徴として正しいのはどれか.

a. 溶血が少ない.
b. 血液粘度の影響を受けにくい.
c. 停止時に血液の逆流を生じない.
d. 吸引ポンプとして使用できる.
e. 空気を送りにくい.
1. a, b　2. a, e　3. b, c　4. c, d　5. d, e

膜型人工肺について正しいのはどれか.

a. 人工肺は血液ポンプの入口側に接続する.
b. ガス流量を増やすと二酸化炭素除去量は減少する.
c. 外部灌流型は内部灌流型より血液の圧損失が高い.
d. 均質膜は貫通孔をもたない.
e. 血漿漏出によるガス交換能低下時は人工肺を交換する.
1. a, b　2. a, e　3. b, e　4. e, d　5. d, e

人工心肺について正しいのはどれか.

a. シリコーン膜は酸素よりも二酸化炭素の透過性が高い.
b. ポリプロピレン膜はシリコーン膜よりも強度が優れている.
c. 多孔質膜では血液と酸素ガスが直接接触しない.
d. 内部灌流型は外部灌流型よりも血液が乱流になりやすい.
e. 外部灌流型は内部灌流型よりも圧力損失が大きい.
1. a, b　2. a, e　3. b, c　4. c, d　5. d, e

〈解答〉問題1-4, 問題2-2, 問題3-2, 問題4-1, 問題5-4, 問題6-1, 問題7-4, 問題8-1, 問題9-4, 問題10-2, 問題11-1, 問題12-5, 問題13-2, 問題14-1

体外循環装置　第2版
p.109〜118

（1）体外循環と血液

○ 血液希釈　【35 回】【36 回】【37 回】　★★★

- ❯ ヘマトクリット値 20％，ヘモグロビン値 7.0 g/dL が希釈の限界とされている．
- ❯ 充填量の大きい人工心肺ほど希釈率は高くなる．
- ❯ 希釈率が高いほど末梢血管抵抗が低下する．
- ❯ 希釈率が高いほど酸素運搬能は低下する．
- ❯ 小児では循環血液量に比べ相対的に体外循環回路が大きいため希釈率が高くなる．
- ❯ 血液希釈により酸素解離曲線は左方に偏位する．

血液希釈の利点	血液希釈の欠点
・血液粘性の低下 ・輸血量の軽減 ・溶血の軽減 ・脂肪塞栓の軽減 ・組織血流を良好にする（末梢血管抵抗の低下） ・代謝性アシドーシスの軽減	・赤血球成分が減少するため酸素運搬能が低下 ・血漿浸透圧（膠質浸透圧）の低下により組織浮腫が起こる ・血中カテコラミン希釈により灌流圧が低下する

○ 血液成分の変動　【33 回】【34 回】【36 回】　★★★

	上昇（活性化）	下降（低下）
血球・凝固関連	・白血球 ・血小板第IV因子 ・顆粒球コロニー刺激因子（G-CSF） ・ブラジキニン ・凝固系：活性化する ・線溶系：活性化する	・血小板数（30〜50％減少） ・顆粒球
電解質関連	・血糖値	・カリウム：インスリン使用時，低体温，アルカローシスなどの影響 ・ナトリウム ・カルシウム：保存血を使用すると添加されたクエン酸ナトリウムの影響
ホルモン関連	・バゾプレシン（ADH） ・アドレナリン（エピネフリン） ・ノルアドレナリン ・コルチゾール ・レニン-アンジオテンシン系：活性化 ・心房性ナトリウム利尿ペプチド（ANP）	・インスリン：分泌低下 ・甲状腺ホルモン（T_3）
免疫関連	・炎症性サイトカイン（IL-1, IL-6, TNF-α など） ・NK 細胞	・免疫グロブリン（IgG, IgA, IgM） ・T 細胞・NK 細胞の活性は低下 ・B リンパ球（CD19 細胞） ・ヘルパー T 細胞・インデューサ T 細胞（CD4）
その他	・低体温の影響により 　　血液粘度上昇 　　末梢血管抵抗増加 ・遊離脂肪酸 ・血球破壊による溶血により遊離ヘモグロビン増加	・希釈の影響により 　　膠質浸透圧の低下 　　血液粘度の低下 ・血中ハプトグロビン ・中性脂肪

カリウム濃度の変動　【33回】【34回】　━━━━━━━━━━━━━━━━━━━━ ★★

上昇につながる	低下につながる
・尿量低下 ・心筋保護液投与 ・輸血（赤血球液充填） ・溶血	・代謝性アルカローシス ・カルシウム投与 ・インスリン投与 ・フロセミド（利尿剤）投与 ・希釈

❯ インスリンはカリウムを細胞内に移動させる．

❯ 低カリウム血症では不整脈が出やすくなる．

❯ 心筋保護時の心停止では高カリウム液を用いる．

❯ 溶血すると高カリウム血症になる．

❯ 人工心肺中は心筋保護液投与直後にはカリウム値は上昇するが，心筋保護液に含まれるインスリンによって程度が異なる．

❯ 高度に溶血した場合はハプトグロビンを投与する．

動脈血の酸素運搬量に直接影響する要因

❯ 心拍出量

❯ ヘモグロビン量

❯ 酸素飽和度

○ 抗凝固剤　【34回】【35回】【36回】　━━━━━━━━━━━━━━

❯ カニュレーションを行う前に投与する．

❯ 患者側へのヘパリン初期投与量は，200〜300 単位/kg．

❯ 活性化凝固時間（activated clotting time：ACT）は 400 秒以上に維持する．

　・ヘパリンコーティング回路を用いる場合も，ACT は 400 秒以上を保つ．

❯ アンチトロンビン（antithrombin：AT）III 欠乏症の場合，ヘパリンは減量しない．

❯ AT III 欠損症ではヘパリン抵抗性を示す．

❯ ワルファリンは手術前に投与を中止するため，ヘパリンは減量しない．

❯ 抗血小板薬（アスピリンなど）を服用していても，ヘパリンは減量しない．

❯ 体外循環終了後，血行動態の安定が確認されるとプロタミン投与が開始される．

❯ 硫酸プロタミン

　・硫酸プロタミンはヘパリンの抗凝固作用を中和する．

　・硫酸プロタミン投与量は，初期ヘパリン投与量の 1〜1.5 倍．

　・硫酸プロタミンには軽度の抗凝血作用があるのでヘパリン中和時の過量投与は避ける．

　・硫酸プロタミン投与後にみられる血圧低下は末梢血管拡張作用による．

❯ ヘパリン起因性血小板減少症（heparin-induced thrombocytopenia：HIT）

　・ヘパリン投与によって血小板第 4 因子（PF4）とヘパリンの複合体に対する抗体（HIT 抗体）が産生され，血小板減少とともに血栓塞栓症を引き起こす疾患である．

　・ヘパリン治療を受け，血小板数が前値より 50％以上低下した場合に疑う．

　・通常 HIT は，ヘパリン投与開始 5〜14 日後に発症する．

　・HIT 出現時はヘパリン，低分子ヘパリンとも使用は禁止．

　・HIT を発症した患者にはアルガトロバンを使用する．

　・出血症状はあまり見られない．

○酸塩基平衡と電解質の変動

ヘモグロビン酸素解離曲線 ─────────────────────────── ★

❷酸素解離曲線は酸素飽和度と酸素分圧の関係を表しており，S字状曲線を示す．

❷高体温では同じ酸素分圧でも酸素飽和度は低下する．

❷低体温では二酸化炭素産生量が減少し，アルカリ性に傾く．

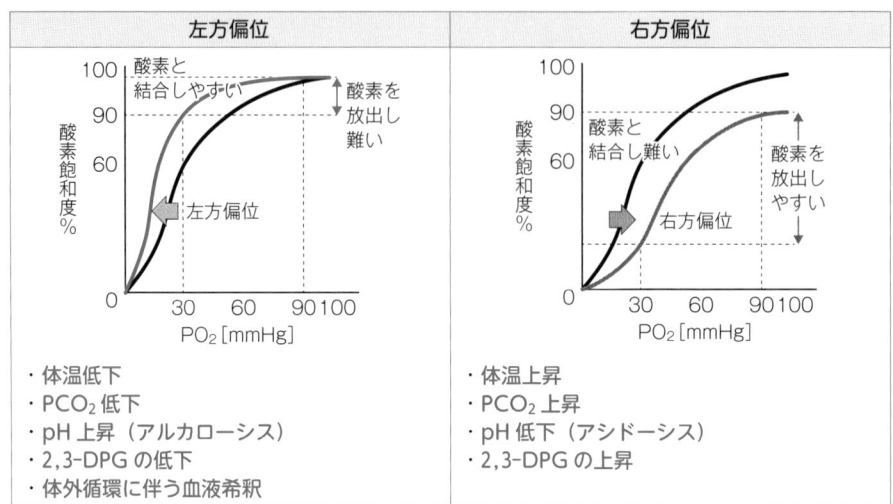

左方偏位	右方偏位
・体温低下 ・PCO_2 低下 ・pH 上昇（アルカローシス） ・2,3-DPG の低下 ・体外循環に伴う血液希釈	・体温上昇 ・PCO_2 上昇 ・pH 低下（アシドーシス） ・2,3-DPG の上昇

（2）循環動態

体外循環装置　第2版
p.106〜109
大動脈遮断
p.157〜158
大動脈遮断解除
p.160〜161
人工心肺から離脱
p.161〜162

○灌流量，血圧，末梢血管抵抗の関係　【34 回】【37 回】───────── ★★

❷落差脱血では，患者心臓と静脈貯血槽液面の間に通常 50 cm〜1 m 程度の落差を設ける．

❷人工心肺離脱開始時は，最初に脱血量を減らし，徐々に人工心肺側から患者側に血液を戻す．

❷吸引からの戻りが多い場合は脱血量よりも送血流量を増やす．

❷心腔内圧の減圧はベント吸引によって行う．

❷アルファスタット法による管理では，脳血流量は減少する．

❷大動脈遮断時には，一時的に送血流量を減少させる．

・大動脈遮断時には，送血流量を 1 L/分以下にし，灌流圧を 40 mmHg 以下にする．

❷大動脈遮断解除時には，一時的に送血流量を減少させる．

・動脈硬化病変の破綻・剥脱，虚血心筋への過灌流を防ぐため，送血流量を一時的に減少させてから解除する．

❷人工心肺離脱後のプロタミン投与時には心機能が良好であっても血圧低下に注意する．

❷脳や腎臓は，血圧（灌流圧）の変化に対して血流を一定に維持する機能があり，自己調整能（autoregulation）という．

・低体温では主要臓器に血流を集中させるため autoregulation が働き，腹部臓器や骨格筋などの組織血流は低下する．

・脳血流量を保つための平均動脈圧の下限：約 60 mmHg

・腎血流量を保つための平均動脈圧の下限：50〜60 mmHg

❷体外循環中の急性腎不全（AKI）の発症は，体外循環時間と密接に関係しており，時間延長に伴い AKI 発症リスクも高くなる．

問題 1 □□□　　30A70

低体温体外循環の影響で正しいのはどれか.

- a. 末梢血管抵抗低下
- b. 酸素消費量低下
- c. カテコラミン活性低下
- d. 血液凝固能亢進
- e. 血液粘稠度低下

1. a, b　2. a, e　3. b, c　4. c, d　5. d, e

問題 2 □□□　　31P71

人工心肺を用いた開心術中の抗凝固対策で正しいのはどれか.

1. 抗血小板薬投与例ではヘパリン投与量を減量する.
2. ワルファリン投与例ではヘパリン投与量を減量する.
3. アンチトロンビンⅢ欠損症ではヘパリン投与量を減量する.
4. ACT が 600 秒以上に延長した場合にはプロタミンを投与する.
5. ヘパリンコーティング回路を用いる場合も ACT は 400 秒以上を保つ.

問題 3 □□□　　35P71

人工心肺を用いた体外循環における患者側へのヘパリンの初期投与量はどれか.

1. 5000 単位
2. 1.0〜1.5 mg/kg
3. 5.0〜6.0 mg/kg
4. 200〜300 単位/kg
5. 400〜500 単位/kg

問題 4 □□□　　35A71

ヘパリン起因性血小板減少症（HIT）について正しいのはどれか.

1. トロンビンが増加する.
2. 出血性合併症を起こしやすい.
3. 血小板第 X 因子が関与する.
4. ヘパリンコーティング回路の使用により回避できる.
5. ヘパリン投与直後に発症することが多い.

問題 5 □□□　　34P70

人工心肺を用いた体外循環中の電解質，内分泌系の変動で正しいのはどれか.

- a. 血中ナトリウム濃度は低下する.
- b. 血中カリウム濃度は低下する.
- c. 赤血球液の使用で血中カルシウム濃度は上昇する.
- d. インスリンの過剰分泌により低血糖になりやすい.
- e. バソプレシンは増加する.

1. a, b, c　2. a, b, e　3. a, d, e
4. b, c, d　5. c, d, e

問題 6 □□□　　36A71

人工心肺を用いた体外循環に伴う生体の変化について正しいのはどれか.

- a. 補体系が活性化する.
- b. 血小板数が減少する.
- c. リンパ球数が減少する.
- d. 血中抗利尿ホルモンが減少する.
- e. 血中ブラジキニンが減少する.

1. a, b, c　2. a, b, e　3. a, d, e
4. b, c, d　5. c, d, e

問題 7 □□□　　34A72

人工心肺を用いた体外循環中に血中カリウム濃度の上昇につながるのはどれか.

- a. 赤血球液充填
- b. カルシウム投与
- c. インスリン投与
- d. フロセミド投与
- e. 代謝性アシドーシス

1. a, b　2. a, e　3. b, c　4. c, d　5. d, e

問題 8 □□□　　34P73

人工心肺を用いた体外循環中の血液凝固系管理で正しいのはどれか.

1. ACT（活性化凝固時間）を 200 秒以下に維持する.
2. 全回路ヘパリンコーティング人工心肺では充填時のヘパリン量を半減できる.
3. プロタミン投与によって血圧は上昇する.
4. プロタミンには軽度の抗凝血作用があるのでヘパリン中和時の過量投与は避ける.
5. プロタミン投与後も術野出血が続く場合は吸引ポンプを回し回収を続ける.

人工心肺を用いた体外循環で正しいのはどれか.

1. 開始時には, まず脱血カニューレ, 続いて送血カニューレを挿入する.
2. 大動脈遮断時には, 一時的に送血流量を増加させる.
3. 大動脈遮断解除時には, 一時的に送血流量を増加させる.
4. 遠心ポンプを用いる場合, 復温時には, 同一回転数でも流量が増加する.
5. 人工心肺停止時には, 脱血側回路をクランプしてから回転を止める.

人工心肺を用いた体外循環中の血液希釈法について正しいのはどれか.

a. 末梢血管抵抗を低下させる.
b. 代謝性アルカローシスを軽減する.
c. ヘマトクリット値 30%を希釈下限の目安とする.
d. 組織浮腫の原因となる.
e. 溶血を軽減する.
1. a, b, c   2. a, b, e   3. a, d, e
4. b, c, d   5. c, d, e

人工心肺を用いた体外循環中の血中電解質について正しいのはどれか.

a. インスリン使用時には低カリウムになりやすい.
b. 低体温時には高カリウムになりやすい.
c. アルカローシス時には高カリウムになりやすい.
d. 保存血を使用すると低カルシウムになりやすい.
e. 低ナトリウムになりやすい.
1. a, b, c   2. a, b, e   3. a, d, e
4. b, c, d   5. c, d, e

人工心肺を用いた体外循環中の臓器循環について正しいのはどれか.

1. 骨格筋の血流量は増加する.
2. 腹部臓器の血流量は増加する.
3. 急性腎不全の発症は体外循環時間に依存しない.
4. 脳血流量は autoregulation により維持される.
5. 腎臓の autoregulation が保たれる灌流圧の下限界値は 30 mmHg である.

ヘモグロビン酸素解離曲線で誤っているのはどれか.

1. 低体温では解離曲線は左方偏位する.
2. 高体温では同じ酸素分圧でも酸素飽和度が低下する.
3. 2,3-DPG の増加は解離曲線を右方偏位させる.
4. 二酸化炭素分圧が増加すると解離曲線は左方偏位する.
5. アシドーシスでは解離曲線は右方偏位する.

〈解答〉問題 1-3, 問題 2-5, 問題 3-4, 問題 4-1, 問題 5-2, 問題 6-1, 問題 7-2, 問題 8-4, 問題 9-4, 問題 10-3, 問題 11-4, 問題 12-3, 問題 13-4

（1）人工心肺充填液

体外循環装置 第2版 p.143〜144

○**充填液の種類**
- ❷感染予防に抗生物質，ショック対策にステロイドホルモンを用いる．

充填液と目的
- ❷乳酸加リンゲル：細胞外液の補充液や人工心肺充填液のベース
- ❷マンニトール：血漿浸透圧調整
- ❷代用血漿：膠質浸透圧維持
- ❷炭酸水素ナトリウム：代謝性アシドーシスの補正
- ❷アルブミン：膠質浸透圧維持

（2）適正灌流

体外循環装置 第2版 p.106〜112

○**至適灌流量** 【34回】【35回】【36回】 ————————————————— ★★★
- ❷末梢組織の酸素消費量を減少させることを目的として体温を下げる．
  - ・組織の酸素消費量は，37℃を100％とすると，30℃で50％，15℃で10％に減少する．
- ❷低体温は適正灌流に対する安全域を拡大する．
  - ・低体温時に酸素消費量が著明に低下するため，灌流量を少なくすることができる．
  - ・低体温にすると血液粘稠度が増加するため末梢循環が不良となり灌流量が減少する．
- ❷需要に見合う酸素を供給できる灌流量を保つ．
- ❷体外循環における至適灌流量は，$2.2 \sim 2.5 \, \text{L/min/m}^2$（60〜80 mL/分/kg）（正常灌流量の約70％程度）である．
- ❷血液を希釈すると灌流量は増加する．
- ❷末梢血管抵抗が減少すると灌流量は増加する．
- ❷送血抵抗が増加すると灌流量は減少する．
- ❷送血量は，脱血量とのバランス，動脈血圧，中心静脈圧などの条件によって調節する．
- ❷チアノーゼ性心疾患では灌流量を増加させる．
  - ・チアノーゼ性心疾患では，側副血行路が異常に発達し心腔内に灌流する血液量が増加するため，その分灌流量を増やす．
- ❷手術操作に応じて一時的に送血量を下げたり，血液ガス分析，体温，$S\bar{v}O_2$ などによっても送血量を調節する．
- ❷混合静脈血酸素飽和度70％を目標に灌流量を調節する．
- ❷平均大動脈圧を60〜80 mmHg，平均静脈圧を0〜数 cmH_2O に維持する．
- ❷復温時は送血量を上げる：酸素需要が増大するため．
- ❷送血量を下げる．
  - ・脱血不良時：リザーバの貯血量が下がるため．
  - ・大動脈遮断時：大動脈の負担を減らすため．
  - ・大動脈遮断解除後：大動脈の負担を減らすため．

❥送血を止める（ポンプ停止）
　・大動脈解離発生時
❥小児の体表面積当たりの灌流量は成人よりも多い：基礎代謝が高いため．
　・成人：2.3～2.5 L/min/m^2
　・小児：2.4～2.6 L/min/m^2
　・新生児：2.4～3.0 L/min/m^2

例題

　体表面積 2.0 m^2 の男性の人工心肺を用いた開心術で，吸引回路から血液の戻りが全くない完全体外循環中（膀胱温 32℃），静脈リザーバに 800 mL が貯血されていた．なんらかの理由で静脈回路からの脱血が完全に途絶えた時，リザーバが空になるまでの時間 ［秒］ はいくらか．

解答

　成人の至適灌流量は，2.3～2.5 ［L/min/m^2］ である．

　問題文より，成人の体表面積は 2.0 ［m^2］．

　灌流量の範囲は，4.6～5.0 ［L/min］（4600～5000 mL/min）より，1秒当たりの流量は，76.7～83.3 ［mL/秒］ となる．

　静脈リザーバの貯血レベルが 800 mL であるため，空になるまでの時間は，約 9.6～10.4 ［秒］ となる．

○ **灌流圧**

灌流圧低下	灌流圧上昇
・体外循環開始直後に灌流圧低下（イニシャルドロップ）を引き起こすことがある ・急激な血液希釈による末梢血管抵抗の減少による ・大動脈遮断解除 ・大動脈解離	・血漿増量剤投与：循環血漿量が増えるため

○ **体温コントロール** 【34回】【36回】 ━━━━━━━━━━ ★★
　　低体温による影響

増加（上昇）	低下	その他
・血液粘度 ・混合静脈血酸素飽和度 ・カテコラミン分泌の活性化 ・末梢血管抵抗 ・血圧（術後高血圧） ・pH（アルファスタット法による管理） ・ヘモグロビン酸素結合力	・組織への酸素移行（酸素需要量の低下） ・凝固・線溶系の活性化 ・血中カリウム値	・人工心肺の安全域の広がり ・酸素解離曲線の左方偏位

復温時には混合静脈血酸素飽和度は低下する．

○ **完全体外循環** 【36回】 ━━━━━━━━━━━━━━ ★★
　❥以下のように心肺機能が完全に人工心肺に代行された状態を完全体外循環という．
　　・脱血カニューレの周囲をテープで締め，静脈から右心房への流れを止めた時点
　　・大動脈に遮断鉗子をかけた時点

・心室細動となった時点

（3）モニタリング

体外循環装置　第2版
p.75〜92

○人工心肺装置操作の指標 【36回】【37回】 ━━━━━━━━ ★★

至適灌流量	成人：2.3〜2.5 L/min/m^2 小児：2.4〜2.6 L/min/m^2 乳児：2.4〜3.0 L/min/m^2
動脈圧	60〜80 mmHg　※上限を超える際は，血管拡張薬を投与する．
中心静脈圧	0〜10 mmHg
混合静脈血酸素飽和度	70％以上
ヘマトクリット値	20〜25％
ヘモグロビン値	7.0 g/dL 以上
活性化凝固時間（ACT）	480 秒以上
pH	7.4±0.05
PaO_2	100〜200 mmHg
$PaCO_2$	35〜45 mmHg
$HCO_3{}^-$	24 mEq/L
BE	±4
Na^+	135〜145 mEq/L
K^+	3〜5 mEq/L
尿量	1 mL/kg/h 以上（できれば 5 mL/kg/h 以上）

○体温 【36回】 ━━━━━━━━━━━━━━━━ ★★
❱復温時の送脱血温温度差：10℃以内（溶血防止，溶存ガス発泡防止）
❱冷温水槽の水温は 42℃以上とならないよう注意（溶血防止，血漿タンパク変性防止）

復温に要する時間に影響する要因
❱熱交換器の性能
❱送血流量
❱患者体重
❱送水ポンプ流量
❱高度な酸塩基平衡障害

○血液ガス分析（カテーテル採血含む）
混合静脈血酸素飽和度（$S\bar{v}O_2$）【33回】【37回】 ━━━━━ ★★
❱酸素消費量，動脈血酸素飽和度，ヘモグロビン濃度，心拍出量より決定される．
❱末梢組織の酸素需給を反映する．
❱体温の低下によって末梢組織での酸素消費量が減少する．
❱人工心肺中の冷却時には上昇する．
❱肺動脈カテーテルで測定できる．
❱50％は酸素供給不足を意味する：嫌気性代謝が進行する．
❱60〜80％以上では，送血量，心拍出量は十分あると判断できる．
❱60％以下では，酸素供給量の不足，もしくは酸素消費量の増大が疑われる．
❱$S\bar{v}O_2$ が目標値より低い時は，送血灌流量を上げる．

Sv̄O₂の低下の原因
- 送血流量の不足
- 過度の血液希釈
- 人工心肺の加温時
- 生体肺の機能不全
- 吹送ガス酸素濃度の低下

血液ガス　診断

人工肺による血液ガス分圧の調整　【37回】　★★

- PaO_2 は酸素ガス濃度により変化
  ・酸素ガス濃度を上げる：PaO_2 上昇
  ・酸素ガス濃度を下げる：PaO_2 低下
- $PaCO_2$ は酸素ガス流量により変化
  ・酸素ガス流量を上げる：$PaCO_2$ 低下
  ・酸素ガス流量を下げる：$PaCO_2$ 上昇
- アルファスタット法
  ・患者の体温が低温であっても pH のデータは補正せずに用いる方法．
  ・脳血流量は減少する．
  ・pH が上昇する．

人工心肺装置内モニタリング

体外循環前のチェック項目
- 冷温水槽内の水温
- 血液ガスデータ
- ポンプチューブ圧閉度
- プライミング液の温度

体外循環中のモニタ項目
- 送血流量
- 静脈貯血槽内の血液レベル
- 各温度（血液温，送血温，脱血温）
- 人工心肺吹送ガス流量

❥回路内圧

体外循環ウィーニング中の生体監視項目
- ❥動脈圧：末梢血管抵抗
- ❥中心静脈圧：循環血液量
- ❥左房圧：左室機能
- ❥尿量：腎血流量

体外循環装置　第2版
p.129〜141

（4）心筋保護

○心筋保護の目的と意義 【36回】 ━━━━━━━━ ★★
- ❥化学的心停止を介して，エネルギーの保存，持続的心停止によるエネルギー消費の抑制を図る．
- ❥常温における心筋虚血の安全限界は30分未満とされている．
- ❥低温と化学的心停止により，心筋酸素消費量は1/10程度となる．
- ❥心筋収縮エネルギー源を保存：低温に保つことでエネルギー消費・代謝を抑制し，心筋保護効果を増大させる．
- ❥心筋酸素消費量：心静止＜心拍動状態＜心室細動
- ❥阻血時間の延長を目的としている．

○心筋保護液の種類 【36回】【37回】 ━━━━━━━━ ★★
- ❥心停止は高カリウム液が基本である．
- ❥晶質性液：4℃
  - ・細胞内液型心筋保護液のナトリウム濃度は細胞外液型より低い．
- ❥血液併用心筋保護：10〜20℃
  - ・人工肺送液側よりポンプにて動脈血を引いて心筋保護液と混合する．

○心筋保護液の注入 【36回】【37回】 ━━━━━━━━ ★★
- ❥注入量は，初回20 mL/kg，2回目以降は10 mL/kgを20〜30分間隔で注入する．
- ❥心筋保護液だけを冠動脈に100％灌流するには大動脈を遮断しなければならない．
- ❥大動脈弁手術では，選択的冠灌流が必要である．

灌流法
- ❥心筋保護液用のローラポンプを使用し注入する．

順行性心筋保護法	逆行性心筋保護法
・注入圧は一般的に80〜100 mmHg程度 ・大動脈を遮断し，大動脈基部または冠状動脈口から選択的に注入する	・注入圧は一般的には30 mmHg以下が望ましい ・高度大動脈閉鎖不全症例では逆行性心筋保護法を用いる ・冠状静脈洞より注入する ・右室への心筋保護灌流が不十分となりやすい ・右室の冷却不良にもなりやすい

○心筋酸素消費量
- ❥心筋酸素消費量は冠動脈血流量，血圧，薬剤などで変化する．
- ❥心筋酸素消費量の増加

- 心臓に対する負荷が増すと心筋酸素消費量も増加する.
- 心筋酸素消費量は心室細動の状態が最も多く, 次いで心拍動状態.
- アドレナリンの投与：心臓の筋肉の力を強め, 拍動を早くすることにより, 酸素消費量が増加.

❷ 心筋酸素消費量の減少
- 大動脈遮断・心停止液注入後心停止時が最も少ない.
- 脱血が良好で, ベンティングも十分に行われ, 心臓が空の状態で血液を駆出せず空打ちしている状態.
- IABP の使用：心臓の後負荷の減少と冠動脈の血流の増加があり酸素消費量は低下する.
- 部分体外循環から完全体外循環への移行.

体外循環装置　第2版
p.161〜162

（5）人工心肺離脱 【34回】【37回】 ━━━━━━━━━━━ ★★

❷ 人工心肺離脱の開始時には最初に脱血量を減少させる.
❷ 体外循環離脱の条件および注意
- 術野での心腔内空気抜き, 止血確認
- 心臓の張り具合の確認
- 麻酔器（人工呼吸）より換気の再開
- 送血温 37℃, 鼻咽頭温 37℃, 膀胱温 36℃
- 血液ガス, 電解質, ACT に異常がないこと.
- Hb：7.0 g/dL 以上
- カリウム：4.0 mEq/L 以上, 6.0 mEq/L 以下
- 動脈圧：80 mmHg 以上, 中心静脈圧：12 mmHg 以下
- 肺動脈圧（左房圧）：15 mmHg 以下などの各種圧/波形の確認
- 混合静脈血酸素飽和度：60％以上
- カテコールアミンなど薬剤の確認
- 橈骨動脈圧と中枢動脈圧の差の確認

❷ 人工心肺離脱後の送血カニューレの抜去はプロタミン投与後に行う.
❷ 送血カニューレは最後に抜去する（脱血カニューレを先に抜去する）.
❷ 遠心ポンプを用いる場合, 復温時には, 同一回転数でも冷却による血液粘度の影響により流量が増加する.
❷ 人工心肺停止の操作
- ローラポンプ：ポンプを停止してから脱血回路を遮断する.
- 遠心ポンプ：脱血回路と送血回路の両方を確実に遮断してからポンプを停止する.

❷ ベンティングは停止する.

体外循環装置　第2版
p.145〜146

（6）体外循環に使用される薬剤 【36回】 ━━━━━━━━━━━ ★★

❷ マンニトール：浸透圧の調整, 利尿促進, 脳圧降下（脳保護）
❷ 乳酸加リンゲル：細胞外液の補充液, 血液希釈薬
❷ 炭酸水素ナトリウム：代謝性アシドーシスの補正
❷ ハプトグロビン製剤：遊離ヘモグロビンの処理
❷ 塩化カルシウム：心収縮力の増強, 血圧の昇圧作用

- アルブミン：膠質浸透圧の維持
- ヘパリンナトリウム：血液凝固能の低下
- 代用血漿：浮腫の軽減（膠質浸透圧の高い輸液剤）
- 濃厚赤血球：希釈率の是正（低ヘマトクリット状態の回避）
- ステロイドホルモン：ショック対応
- アドレナリン：心収縮力の増強

（7）乳幼児の体外循環

体外循環装置　第2版
p.169〜176

○成人との比較 ★

- 体表面積当たりの適正灌流量が多い．
  - ・成人よりも灌流量を多めに維持する．
- チアノーゼ性心疾患では非チアノーゼ性より灌流量を多く設定する．
- 至適灌流圧が低い．
- 新生児・乳幼児は成人に比べて動脈圧は低めである．
- 循環血液量が少ない．
- 水分バランスの管理が難しい．
- 無輸血充填が難しい：乳幼児では人工心肺中にヘマトクリットが低下しすぎるため．
- 無輸血充填時の希釈率が高くなる：血液充填を行っておく．
- 体液バランスの不均衡が生じやすい．
- 代謝量がきわめて大きい．
- 遠心ポンプの使用率は成人よりも低い．

（8）OPCAB（心拍動下冠動脈バイパス術：off-pump coronary artery bypass grafting）

体外循環装置　第2版
p.185〜192

- 人工心肺を用いずに心拍動下に簡単な補助用具を用いて行う．

利点

- 生体に対する低侵襲化が図れる．
- 術後の早期回復
- 入院日数の短縮が可能

必要物品

- 血液回収装置
- CO_2 ブロア
- スタビライザ
- 除細動器

（9）透析患者における人工心肺管理 ★

- 自尿がないので不必要な輸液や輸血は考慮する．
- 通常の体外循環に比べて無輸血管理は難しい．
- 高カリウムは不整脈の原因となるため，補正が必要である．
- 末梢血管抵抗の高い症例が多く，灌流圧は高めとなる．

- ❯利尿薬はその効果が期待できない.
- ❯透析の血流量は人工心肺の送血量（適正灌流量）と比べて少ないので，灌流量を増やす必要はない.

臨床工学技士国家試験問題　Check UP!

人工心肺を用いた成人体外循環における完全体外循環中の至適灌流量，至適灌流圧について正しいのはどれか.

1. 正常生体血液循環量の 3.0 L/min/m² と同量を維持する必要がある.
2. 常温体外循環では灌流量を高めに設定する必要がある.
3. 腎機能低下例では灌流量を低めに設定する必要がある.
4. 体表面積当たりの至適灌流量は乳幼児より大きくなる.
5. 灌流圧は平均大動脈圧で 100 mmHg を下回らないことが重要である.

人工心肺において，成人の至適灌流量［mL/分/kg］はどれか.

1. 10～20
2. 30～40
3. 60～80
4. 120～140
5. 160～200

体外循環における血液希釈の利点はどれか.

1. 溶血の軽減
2. 血液粘性の増加
3. 酸素運搬能の増加
4. 膠質浸透圧の上昇
5. 代謝性アルカローシスの軽減

低体温体外循環に伴う生体の変化で誤っているのはどれか.

1. 出血傾向を来しやすい.
2. 動脈圧が低下する.
3. 心房細動になりやすい.
4. 脳血流を維持する autoregulation が働く.
5. 高カリウム血症になりやすい.

成人の中等度低体温での人工心肺操作条件で適切でないのはどれか.

- a. 平均動脈圧 ────────── 70 mmHg
- b. 送血流量 ────────── 120 mL/min/kg
- c. 中心静脈圧 ────────── 20 mmHg
- d. ヘモグロビン ────────── 6.0 g/dL
- e. 混合静脈血酸素飽和度 ──── 75%

1. a, b, c　　2. a, b, e　　3. a, d, e
4. b, c, d　　5. c, d, e

末梢組織の酸素需給を反映するのはどれか.

1. シャント率
2. 酸素運搬量
3. 動脈血酸素分圧
4. 呼気二酸化炭素分圧
5. 混合静脈血酸素飽和度

人工心肺による体外循環において送血流量を上げるべきなのはどれか.

1. 脱血不良時
2. 大動脈遮断時
3. 大動脈遮断解除時
4. 復温時
5. 大動脈解離発生時

動脈血の pH 7.69, Pco_2 28 mmHg, $[HCO_3^-]$ 33 mEq/L の病態を占めるのはどれか.

1. 呼吸性アルカローシス
2. 呼吸性アシドーシス
3. 代謝性アシドーシス
4. 呼吸性アルカローシスと代謝性アルカローシスの混合障害
5. 呼吸性アシドーシスと代謝性アシドーシスの混合障害

人工心肺による体外循環中の混合静脈血酸素飽和度（$S\bar{v}O_2$）について誤っているのはどれか.

1. 肺動脈カテーテルで測定できる.
2. 過度の血液希釈によって低下する.
3. 50%は酸素供給不足を意味する.
4. 80%は低心拍出量状態を意味する.
5. 人工心肺中の冷却時には上昇する.

人工心肺による体外循環中の操作で心筋酸素消費量を増加させるのはどれか.

1. IABP の併用
2. 細動心の除細動
3. アドレナリンの投与
4. 左心腔内血液の吸引（ベンティング）
5. 部分体外循環から完全体外循環への移行

大動脈遮断解除後，心筋温 37℃，完全体外循環，左心ベント下の心筋酸素消費量が最も高い状態はどれか.

1. 心静止
2. 心室細動
3. 心室ペーシング，心拍動 60 回/分
4. 心室ペーシング，心拍動 80 回/分
5. 心房ペーシング，心拍動 80 回/分

人工心肺を用いた開心術中の心筋保護液について正しいのはどれか.

a. 細胞内液型心筋保護液のナトリウム濃度は細胞外液型より低い.
b. 高カルシウム液で心停止を得る.
c. 心筋保護液に血液を混じる場合には超低温がよい.
d. 僧帽弁手術では選択的冠灌流が必要である.
e. 逆行性冠灌流の場合には冠静脈洞から注入する.

1. a, b　　2. a, e　　3. b, c　　4. c, d　　5. d, e

人工心肺による体外循環中の操作について誤っているのはどれか.

a. 平均動脈圧を 60～80 mmHg に維持する.
b. 混合静脈血酸素飽和度を 70%以上に維持する.
c. ACT（activated clotting time）を 200～300 秒に維持する.
d. 復温時に送血温と脱血温の差を 10℃以上に維持する.
e. プロタミンはヘパリン初期投与量の 3～5 倍を投与する.

1. a, b, c　　2. a, b, e　　3. a, d, e
4. b, c, d　　5. c, d, e

体表面積 $0.5 m^2$ の乳幼児の人工心肺を用いた開心術で，吸引回路から血液の戻りが全くない完全体外循環中（膀胱温 30℃），静脈リザーバに 400 mL が貯血されていた. なんらかの理由で静脈回路からの脱血が完全に途絶えた時，リザーバが空になるまでの時間［秒］に最も近いのはどれか.

1. 5
2. 10
3. 20
4. 30
5. 40

| 問題 15 | □□□ | 27P72 |

人工心肺による体外循環で灌流圧低下を引き起こすのはどれか.

a. 大動脈遮断解除
b. 血漿増量剤投与
c. 冷却開始
d. 血管収縮剤投与
e. 大動脈解離

1. a, b 2. a, e 3. b, c 4. c, d 5. d, e

| 問題 16 | □□□ | 31A71 |

乳児の人工心肺を用いた体外循環で成人と比較して正しいのはどれか.

a. 無血充填時の希釈率が高くなる.
b. 体表面積当たりの至適灌流量が多い.
c. 至適灌流圧が高い.
d. 無輸血体外循環が容易である.
e. 水分バランスの管理が容易である.

1. a, b 2. a, e 3. b, c 4. c, d 5. d, e

| 問題 17 | □□□ | 35A73 改 |

人工心肺を用いた体外循環中の血液凝固系管理について正しいのはどれか.

a. ワルファリン内服患者ではカニュレーション開始前のヘパリン投与は不要である.
b. 完全体外循環中に ACT が 600 秒以上になった場合には少量のプロタミンを投与する.
c. 人工心肺離脱後のプロタミン投与時には心機能は良好であっても血圧低下に注意する.
d. 人工心肺離脱後の送血カニューレの抜去はプロタミン投与後に行う.
e. 人工心肺離脱後はプロタミン投与後も吸引ポンプで出血を回収し使用血液量の節減に努める.

1. a, b 2. a, e 3. b, c 4. c, d 5. d, e

| 問題 18 | □□□ | 29P71 |

人工心肺離脱に向けて行うべきもので誤っているのはどれか.

1. 復温
2. 換気再開
3. プロタミン投与
4. 電解質補正
5. 心腔内空気抜き

| 問題 19 | □□□ | 31P72 |

慢性腎不全による維持透析患者における人工心肺管理で正しいのはどれか.

1. 無輸血体外循環が容易である.
2. 血清カリウム値は高めになるよう補正する.
3. 灌流圧は高めになる場合が多い.
4. 利尿薬を大量に用い自尿の確保に努める.
5. 術中透析施行中はその流量分だけ灌流量を増やす.

| 問題 20 | □□□ | 36A73 |

人工心肺を用いた体外循環について正しいのはどれか.

1. ヘパリンは送血管および脱血管の挿入が完了した後に投与する.
2. ACT（活性化凝固時間）は 150〜250 秒に維持する.
3. 目標とする至適灌流量が得られた状態を完全体外循環という.
4. 血液希釈限界はヘモグロビン 10 g/dL である.
5. 復温灌流中には送脱血温の温度較差を 10℃以内とする.

| 問題 21 | □□□ | 36A74 |

開心術における心筋保護について正しいのはどれか.

1. 心筋保護液において血液添加は不可欠である.
2. 逆行性心筋保護液注入圧は 30 mmHg 以上とする.
3. 心臓の常温虚血時間の安全限界は 5 分未満である.
4. 低温によって心筋酸素消費量は低下する.
5. 高度大動脈弁閉鎖不全症例では大動脈基部から心筋保護液を注入する.

| 問題 22 | □□□ | 36P68 改 |

人工心肺による体外循環時に使用する薬剤と使用目的との組合せで誤っているのはどれか.

1. マンニトール ——————— 浸透圧の調整
2. アドレナリン ——————— 心収縮力の増強
3. ハプトグロビン製剤 ——— 出血の予防
4. 乳酸加リンゲル液 ——— 細胞外液の補正
5. アルブミン製剤 ——————— 膠質浸透圧の調整

開心術における心筋保護について正しいのはどれか.

a. 人工心肺の送血回路から側枝を出して心筋保護液を注入する.
b. 細胞内液型心筋保護液中の Na^+ 濃度は細胞外液型より低い.
c. 逆行性心筋保護では右室の心筋保護液灌流が不十分となりやすい.
d. 血液併用心筋保護液では晶質液性心筋保護液より注入温度を低くする.
e. 心筋保護液の初回注入量の目安は 80 mL/kg である.

1. a, b　2. a, e　3. b, c　4. c, d　5. d, e

成人の人工心肺を用いた体外循環の操作条件で適切でないのはどれか.

1. $S\bar{v}O_2$ ―――――――― 75%
2. 灌流量 ――――――――― 70 mL/分/kg
3. 灌流圧（平均大動脈圧）――― 60 mmHg
4. 中心静脈圧 ―――――――― 20 mmHg
5. ヘマトクリット ―――――― 20%

人工心肺を用いた開心術中の心筋保護について正しいのはどれか.

a. 細胞内液型心筋保護液のナトリウム濃度は細胞外液型よりも低い.
b. 高カルシウム液で心停止を得る.
c. 心筋保護液に血液を混ぜる場合には超低温がよい.
d. 僧帽弁手術では選択的冠灌流が必要である.
e. 逆行性冠灌流の場合には冠静脈洞から注入する.

1. a, b　2. a, e　3. b, c　4. c, d　5. d, e

人工心肺を用いた体外循環の離脱において正しいのはどれか.

a. 混合静脈血酸素飽和度が 60% 以上である.
b. 左房圧が 15 mmHg 以下である.
c. 中心静脈圧が 15 mmHg 以上である.
d. 脱血カニューレより先に送血カニューレを抜く.
e. ベンティングは継続する.

1. a, b　2. a, e　3. b, c　4. c, d　5. d, e

人工心肺を用いた体外循環中のモニタリングとその対応について正しいのはどれか.

a. ACT が 1000 秒を超えたのでプロタミンを投与した.
b. PaO_2 が目標値より高かったので人工肺吹送ガスの流量を下げた.
c. $S\bar{v}O_2$ が目標値より低かったので送血灌流量を上げた.
d. $PaCO_2$ が目標値より高かったので人工肺吹送ガスの流量を上げた.
e. 心停止中の動脈圧が 100 mmHg であったので血管収縮薬を投与した.

1. a, b　2. a, e　3. b, c　4. c, d　5. d, e

〈解答〉問題 1-2, 問題 2-3, 問題 3-1, 問題 4-5, 問題 5-4, 問題 6-5, 問題 7-4, 問題 8-4, 問題 9-4, 問題 10-3, 問題 11-2, 問題 12-2, 問題 13-5, 問題 14-3, 問題 15-2, 問題 16-1, 問題 17-4, 問題 18-3, 問題 19-3, 問題 20-5, 問題 21-4, 問題 22-3, 問題 23-3, 問題 24-4, 問題 25-2, 問題 26-1, 問題 27-4

体外循環装置　第2版
p.217～236
人工心臓
p.240～242

（1）循環補助

○IABP（intraaortic balloon pumping：大動脈内バルーンパンピング）

概要　【37回】 ★★

- IABP のバルーンは下行大動脈に留置する.
- 心電図もしくは血圧と同期して左室の拡張期にバルーンを膨張させ, 収縮期に収縮させる.
- IABP を通常作動させる場合, 心電図波形ならびに動脈圧波形を入力信号としてトリガタイミングを調整する.
  - ・拡張タイミング：大動脈圧波形の dicrotic notch（心電図波形の場合は T 波下降付近）に設定
  - ・収縮タイミング：バルーン作動時の拡張末期動脈圧が最低値を示すよう（心電図波形の場合は R 波付近）に設定
- ヘリウムにてバルーンの拡張・収縮を行う.
- 左室の後負荷を軽減させる効果がある.
- 収縮期には心室の後負荷が軽減して心筋酸素消費量を減少させる.
- 収縮期血圧は低下する.
- 拡張期血圧を上昇させて冠血流量, 脳血流量を増加させる.
  - ・拡張期には大動脈内圧の上昇によって冠動脈血流量が増加する.
- IABP の補助能力は心拍出量で 10～15%, 冠血流量で 5～15% 程度である.
- 人工心肺中に使用することで拍動流が得られる.
- IABP カテーテルが大腿動脈を閉塞すると下肢の血行障害を生じる.

適応　【33回】 ★★

- 心筋梗塞, その合併症による心原性ショック時
- 開心術後の低心拍出量症候群
- 体外循環からの離脱困難時
- 難治性の心室性不整脈
- 重篤な不安定狭心症
- PTCA（percutaneous transluminal coronary angioplasty：経皮的冠動脈形成術）施行時
- 切迫心筋梗塞

禁忌　【37回】 ★★

- 重篤な大動脈閉鎖不全症
- 解離性大動脈瘤
- 胸腹部の動脈瘤
- 大動脈解離
- 大動脈ならびに腸骨動脈などの閉塞性動脈硬化症
- 消化管出血, 血小板減少, その他出血を伴う疾患
- 末期疾患の合併

合併症 ─────────────────────────────────── ★

- ❯末梢動脈閉塞：下肢動脈・腹部動脈の血行障害（虚血）
- ❯感染
- ❯大動脈壁の損傷
- ❯大動脈解離
- ❯腸管虚血
- ❯穿孔
- ❯挿入部の血腫
- ❯血小板減少
- ❯バルーン破裂
- ❯挿入部からの出血

点検項目

- ❯始業点検：外装点検，ヘリウムガスの残量，トリガ信号の確認，バッテリの充電状態，ファンの動作など
- ❯使用中点検：駆動電源の確認，ヘリウムガスの残量，操作用のスイッチの確認，表示するモニタ（内圧，波形など）
- ❯終業点検：外装点検，ヘリウムガスの残量，充電確認，ファンの動作など

○PCPS（percutaneous cardiopulmonary support：経皮的心肺補助法）

概要 【35回】 ──────────────────────── ★★

- ❯右心系前負荷軽減と呼吸補助を行う．
- ❯V-A バイパスである．
- ❯閉鎖回路で構成する．
- ❯脱血管は大腿静脈に挿入する．
- ❯心肺蘇生に使用できる．
- ❯流量補助を目的とする補助循環法である：血流低下を補助する効果あり．
- ❯迅速に治療が開始できる：10 分以内での準備が可能である．
- ❯大腿動脈からの末梢血が左心系への後負荷を増大させる．
- ❯右心房付近に脱血管を留置し脱血するので，心臓の前負荷を軽減する．
- ❯局所麻酔で導入できる：全身麻酔を必要としない．
- ❯抗凝固剤を必要とする．
- ❯活性化凝固時間（ACT）：200 秒前後で管理する．

適応 ─────────────────────────────── ★

- ❯肺塞栓症によるショック時
- ❯心停止に対する心肺蘇生
- ❯劇症型心筋症
- ❯急性心筋梗塞
- ❯心筋炎，心筋症
- ❯体外循環からの離脱困難時
- ❯開心術後の低心拍出量症候群
- ❯心大血管手術の補助手段
- ❯ECMO・呼吸手術の補助手段

❷PTCA の補助手段

トラブルシューティング
❷PCPS 施行時の酸素飽和度低下の原因
- 脱血不良による流量減少
- 生体肺の機能不全
- 吹送酸素濃度の低下
- 人工肺の血漿漏出

⭕補助人工心臓 【37回】 ★★

体外設置型補助人工心臓	体内設置型補助人工心臓
・空気駆動方式である ・拍動流型が多い	・電気駆動方式が多い ・連続流量型である ・無拍動流型が多い ・小型化する必要あり，遠心ポンプ型，軸流方式がある

❷左心補助を主目的とする（両心の場合には右心補助もある）．
❷左心補助では高流量が得られる：左室が左房に比し，筋肉に富んでいるため脱血部位の内圧が高く，虚脱しにくいため．
❷左房脱血よりも左室脱血タイプが多い．
❷拍動流型には一方向性の弁が用いられる．
❷欧米では末期重症心不全最終治療は移植であり，補助人工心臓は移植までのブリッジで用いられる（今後，半永久的に VAD を装着する destination（DT）治療も期待される）．
❷右心機能が低下すると，左心系に戻る血液量が減少するので，左心補助人工心臓の補助流量は減少する．
❷体内設置型補助人工心臓の合併症では，感染症や脳梗塞，出血などが問題となる．
❷体内設置型補助人工心臓が植え込まれた最多の疾患は拡張型心筋症である．

体外循環装置　第2版
p.236〜238

（2）呼吸補助

⭕ECMO（extracorporeal membrane oxygenation）【34回】【35回】【36回】【37回】 ★★★
❷膜型肺を用いた呼吸補助を目的とした体外循環
❷ECMO は，何らかの重篤な障害により機能不全となった心臓・肺に対して用いる．
❷基本構成は遠心ポンプ，膜型人工肺を組み込んだ閉鎖回路人工心肺装置である（PCPS と同じ回路構成）．
❷経皮的に専用カテーテルを挿入してポンプや人工肺を用いて補助循環を行い，一時的に心臓や肺の機能を補助・代行する．
❷主なアクセス方法には送脱血部位の違いにより，VV（静脈脱血−静脈送血）ECMO や VA（静脈脱血−動脈送血）ECMO などがある．
❷脱血不良が発生すると脱血回路内圧は低下する．
❷ガス交換膜に結露が発生した場合には，人工肺への酸素フラッシュを実施して様子をみる．
❷人工肺に血栓による部分閉塞が発生すると人工肺前の回路内圧が上昇する．
❷遠心ポンプ駆動停止時には鉗子で回路を遮断する．

- ❯VV-ECMO
  - ・呼吸補助が目的の際に用いられる.
  - ・右室後負荷の軽減や心機能の回復が期待できる.
  - ・脱血,送血カニューレが連続した血管内に存在するため再循環が生じる.
- ❯VA-ECMO
  - ・左室の後負荷が増大する.
  - ・心機能低下が高度な場合(圧補助が必要)に用いる.
- ❯小児でも肺高血圧症などの場合に,呼吸補助として用いる.
- ❯ECMO は局所麻酔で導入できる.
- ❯ECMO の使用は通常長くて 1 カ月程度が限界とされている.
- ❯ACT は 200 秒前後で管理する.
- ❯禁忌
  - ・高度大動脈弁閉鎖不全
  - ・非可逆的脳障害
  - ・大動脈解離
  - ・止血困難な進行性出血
  - ・悪性疾患などの末期状態

○ その他呼吸補助を行う補助循環

- ❯V-A バイパス
- ❯PCPS(percutaneous cardiopulmonary support:経皮的心肺補助法)
- ❯ECLA(extracorporeal lung assist:体外肺機能補助)

臨床工学技士国家試験問題 Check UP!

問題 1 □□□ 30A72

呼吸補助ができるのはどれか.

- a. IABP
- b. 左心バイパス
- c. PCPS
- d. ECMO
- e. 補助人工心臓

1. a, b 2. a, e 3. b, c 4. c, d 5. d, e

問題 2 □□□ 31A72

補助循環について正しいのはどれか.

1. IABP ではバルーンを弓部大動脈に留置する.
2. PCPS は全身麻酔を必要とする.
3. PCPS は左心系の後負荷を軽減する.
4. 補助人工心臓は右心補助に用いられることが多い.
5. 補助人工心臓は左房脱血よりも左室脱血タイプが多い.

PCPS 施行時に左手の酸素飽和度が低下した．原因として
考えられないのはどれか．

1. 脱血不良による流量減少
2. ACT が 400 秒以上
3. 生体肺の機能不全
4. 吹送酸素濃度の低下
5. 人工肺の血漿漏出

経皮的心肺補助装置（PCPS）について誤っているのはど
れか．

a．急性心筋梗塞後の心破裂によるショックは適応であ
　　る．
b．ショック状態の急性肺動脈血栓塞栓症は適応である．
c．急性くも膜下出血によるショックは適応である．
d．送血管は腕頭動脈に挿入する．
e．脱血管は大腿静脈に挿入する．

1. a, b　2. a, e　3. b, c　4. c, d　5. d, e

IABP の適応について正しいのはどれか．

a．冠動脈ステントにおける遅発性血栓性閉塞の予防
b．冠動脈バイパス術後のグラフト閉塞の予防
c．切迫心筋梗塞
d．人工心肺離脱困難
e．心原性ショック

1. a, b, c　2. a, b, e　3. a, d, e
4. b, c, d　5. c, d, e

PCPS について正しいのはどれか．

a．全身麻酔を必要とする．
b．左心系の後負荷を軽減する．
c．肺塞栓症によるショック時に用いられる．
d．心停止に対する心肺蘇生に用いられる．
e．V-A バイパス方式と V-V バイパス方式がある．

1. a, b　2. a, e　3. b, c　4. c, d　5. d, e

補助人工心臓について誤っているのはどれか．

1. 左室脱血は左房脱血よりも高流量を得やすい．
2. 体外設置型の拍動流型補助人工心臓は空気駆動方式の
　　ものが多い．
3. 体内埋込み型では主に連続流型が用いられる．
4. 欧米では末期重症心不全患者の最終治療として用いら
　　れている．
5. 患者の右心機能が低下すると左心補助人工心臓の補助
　　流量は増加する．

IABP の始業点検項目でないのはどれか．

a．バッテリの充電状態
b．バルーン内圧の測定
c．接触電流の測定
d．ヘリウムガスのボンベ内残量
e．トリガ信号の確認

1. a, b　2. a, e　3. b, c　4. c, d　5. d, e

補助循環について正しいのはどれか．

1. PCPS は V-V バイパス方式である．
2. PCPS によって左心系の後負荷は軽減する．
3. 体外設置型拍動流型補助人工心臓では電気駆動方式が
　　多い．
4. 体内植込み型補助人工心臓では拍動流型よりも連続流
　　型が多い．
5. 左心補助人工心臓では左室脱血よりも左房脱血の方が
　　高流量を得やすい．

ECMO について正しいのはどれか．

a．動脈-静脈 ECMO 方式が主流である．
b．心機能の低下が高度の場合には静脈-静脈バイパスを
　　採用する．
c．静脈-動脈 ECMO では高流量になるほど左心室の後
　　負荷は減少する．
d．静脈-静脈 ECMO では送血と脱血の間の再循環が生
　　じうる．
e．PCPS と静脈-動脈 ECMO は同じ回路構成である．

1. a, b　2. a, e　3. b, c　4. c, d　5. d, e

問題 11　35A70

人工心肺を用いた体外循環で正しいのはどれか.

1. 左心補助の装置である.
2. 回路を構成する装置は ECMO と同じである.
3. 開放回路型が主流である.
4. 拍動流ポンプを必要とする.
5. 使用限界は 3 時間である.

問題 14　37P14

IABP の禁忌はどれか.

1. 大動脈弁狭窄症
2. 大動脈弁閉鎖不全症
3. 僧帽弁狭窄症
4. 僧帽弁閉鎖不全症
5. 三尖弁閉鎖不全症

問題 12　35P73

ECMO について正しいのはどれか.

a. ACT を 400 秒以上に保つ.
b. V-V バイパスのみである.
c. 新生児にも使用される.
d. 全身麻酔を必要としない.
e. ローラポンプを用いることが多い.

1. a, b　2. a, e　3. b, c　4. c, d　5. d, e

問題 15　37P71

正しいのはどれか.

a. 日本の心臓移植は年間 500 例を超えている.
b. 体内設置型補助人工心臓の最も多い合併症は機器の故障である.
c. 体内設置型補助人工心臓が植え込まれた最多の疾患は虚血性心疾患である.
d. 体内設置型補助人工心臓は心臓移植までのブリッジとして使用することが多い.
e. 臓器移植法では本人の意思不明の場合，家族の承諾で臓器提供できる.

1. a, b　2. a, e　3. b, c　4. c, d　5. d, e

問題 13　36P72

V-A ECMO（PCPS）について正しいのはどれか.

a. 抗凝固療法にはヘパリンを使用する.
b. 左心室前負荷を増加させる.
c. ウェットラングとはガス交換膜からの血漿リーク発生である.
d. IABP との併用は禁忌である.
e. 高度大動脈弁閉鎖不全を有する患者への使用は禁忌である.

1. a, b　2. a, e　3. b, c　4. c, d　5. d, e

問題 16　37A74

IABP で正しいのはどれか.

a. 冠血流量は増加する.
b. 収縮期血圧は低下する.
c. 脳血流量は減少する.
d. バルーン拡張には酸素を用いる.
e. 大動脈解離に使用できる.

1. a, b　2. a, e　3. b, c　4. c, d　5. d, e

V-A ECMO について正しいのはどれか.

a. 灌流量の増加によって左室後負荷が軽減される.
b. 脱血不良が発生すると脱血回路内圧は上昇する.
c. ガス交換膜に結露が発生した場合には人工肺の緊急交換を要する.
d. 遠心ポンプ駆動停止時には鉗子で回路を遮断する.
e. 人工肺に血栓による部分閉塞が発生すると人工肺前の回路内圧が上昇する.

1. a, b　2. a, e　3. b, c　4. c, d　5. d, e

5. 安全管理

（1）体外循環のトラブル対策

体外循環装置　第2版
p.197〜206

○ **貯血槽の血液レベル低下**　【34回】━━━━━━━━━━　★★

原因

- ❯ 脱血回路の折れ曲がり
- ❯ 過剰脱血による脱血カニューレの先当たり
- ❯ 不適切な位置による脱血カニューレの先当たり
- ❯ 生体の循環血液量の不足
- ❯ 脱血回路への鉗子操作誤り
- ❯ 送・脱血調節不十分

対応

- ❯ レベルセンサ
  - ・静脈貯血槽に取りつけ，血液レベル低下に対して送血ポンプを停止し空気誤送を防止する．
  - ・原理は超音波式，光学式，静電容量式がある．
- ❯ 脱血回路の確認
- ❯ 貯血槽に乳酸加リンゲル液を急速補液
- ❯ 一時的な送血流量低減

○ **人工心肺中ガス交換トラブル**

交換が必要　【36回】━━━━━━━━━━━━━━━　★★

- ❯ 血漿漏出
- ❯ wet lung
- ❯ 除泡能の低下

ガス交換トラブル時の点検項目

- ❯ 酸素供給ラインの接続状況
- ❯ 供給酸素流量
- ❯ 人工肺の破損の有無
- ❯ ガス側への血漿漏出の有無

○ **人工心肺中における酸素飽和度低下の原因**

- ❯ 送血量の不足
- ❯ 過度の血液希釈
- ❯ 生体肺の機能不全
- ❯ 吹送ガス酸素濃度の低下

○ **トラブル全般**　【33回】【34回】【35回】━━━━━　★★★

- ❯ 脱血不良時：脱血カニューレの位置移動を行う．循環血液量減少の場合，補液を増やす．

- ❷大動脈解離を認める：送血を停止するか送血流量を下げる．送血部位を変更する．
- ❷脱血カニューレの脱落：送血ポンプの停止
- ❷膜型人工肺における wet lung：人工肺の交換
- ❷膜型人工肺ガス出口からの血漿漏出：人工肺の交換
- ❷人工肺内の血栓形成：人工肺の交換
- ❷熱交換器の水漏れ：熱交換器交換→現在の人工肺と熱交換器は一体化しているため，人工肺の交換．
- ❷大動脈内への気泡誤送：静脈側より逆行性送血を行い積極的に大動脈から気泡除去を行う．
- ❷送血回路内への大量の空気混入：送血停止
- ❷溶血が顕著な場合：ポンプチューブの圧閉度を調節
- ❷ヘマトクリット値の低下時：水分バランスをチェック，赤血球輸血
- ❷ACT が延長しない時：ヘパリンを追加
- ❷血液ポンプの停止：手動式ハンドルによる循環維持
- ❷体外循環離脱困難時：IABP を使用

体外循環装置　第2版
p.207～216

（2）体外循環の合併症

○空気塞栓 【33回】 ★★

原因

- ❷脱血回路からの大量の空気混入
- ❷貯血槽内の血液レベルの低下：貯血槽が完全に空にならなくても空気の誤送が生じる．
- ❷送血ポンプ流入側回路の破損
- ❷送血ポンプ流入部の採血ポート開放
- ❷左室ベントの過剰な吸引
- ❷左心ベントポンプの逆回転
- ❷ローラポンプチューブの破損
- ❷膜型人工肺ガス側圧力の上昇
- ❷動脈フィルタ内の気泡抜き不良
- ❷リザーバ内圧の上昇によるベント回路への逆流

対策

- ❷直ちに体外循環を停止し，頭を低位にするトレンデレンブルグ体位を取る．
- ❷上行大動脈の送血カニューレを抜去し，上大静脈より逆行性送血を行う．
  - ・高度低体温逆行性送血
  - ・送血温は 20℃程度で行い，流量は 1～2 L/min.
  - ・上大静脈圧は 25 mmHg 以上にしないよう注意．
- ❷麻酔医は両側頸動脈を圧迫する．

○血液凝固管理

- ❷血液凝固を防ぐために，ヘパリンナトリウム（1 mL＝10 mg＝1000 単位）を 2.0～3.0 mg/kg 投与する．
- ❷体外循環中は ACT が 400 秒以上に延長するように管理する．

・60〜90 分ごとに ACT を測定し，400 秒以上を維持する．

❷中和剤である硫酸プロタミンは，初期ヘパリン投与量の 1〜1.5 倍を投与する．

❷血液のフィルタが詰まったら直ちに体外循環を停止し，速やかに動脈フィルタを交換する．

❷送血フィルタが詰まると回路内圧が上昇する．

❷フィルタ下流（患者側）回路の血栓形成の確認は必要である．

○体外循環中に生じる大動脈解離 【37回】 ━━━━━━━━━━ ★★

❷送血管先端が大動脈壁に当たっていると，大動脈解離を引き起こす可能性が高い．

❷大腿動脈送血の場合に生じる解離を逆行性解離と称する．

❷送血量の割に極端な脱血不良を生じる．

❷上行大動脈が虚脱する．

❷発生した際の対応

・送血温を下げる．

・大動脈壁の破損を防止するため送血圧を下げる．

・真腔に送血カニューレを入れ直す．

・上行大動脈の色調を確認する．

・経食道心臓超音波検査を行う．

・体外循環を停止できる段階であれば直ちに停止する．また，心拍動があれば離脱をする．

○人工心肺中の溶血 【33回】【34回】 ━━━━━━━━━━ ★★

❷血中カリウム濃度が上昇した場合，高度溶血を疑う．

❷膜型肺より気泡型肺の方が溶血しやすい．

❷遠心ポンプよりローラポンプの方が溶血しやすい．

❷溶血が多くなったらハプトグロビンを投与する．

❷血液中のヘモグロビン濃度の基準値は 12〜18 g/dL である．

❷血漿遊離ヘモグロビンが 200 mg/dL 以上で，腎不全を起こす危険性がある．

原因

❷回路内の陰圧

❷ローラポンプの不適切なオクリュージョン

❷吸引ポンプの回転数上昇

❷過度の吸引

❷細い送血・脱血カニューレ：ジェット流形成

❷血液型の不適合

❷熱交換器による過度の加温

（3）その他

○臨床工学技士が行う人工心肺業務 【36回】 ━━━━━━━━━━ ★★

❷灌流量・充填量の算出を行い，人工肺・回路を選択する．

❷使用薬剤指示を確認し回路の充填を行う．

❷特殊付加回路使用指示を確認し，回路を組み立てる．

❻送脱部位の指示を確認し，適切なカニューレを準備して術野へ出す．
❻心筋保護法の指示を確認し，供給回路を組み立て充填してカニューレを準備する．
❻回路からの薬剤注入を行う．
❻留置カテーテルから採血を行う．　など

臨床工学技士国家試験問題　Check UP!

問題1 □□□　29P73

貯血槽の血液レベルが急激に低下した．対応として正しいのはどれか．

- a．脱血回路の確認
- b．貯血槽に乳酸加リンゲル液を急速補液
- c．一時的な送血流量低減
- d．左房ベント挿入
- e．血管収縮剤投与

1. a, b, c　2. a, b, e　3. a, d, e
4. b, c, d　5. c, d, e

問題2 □□□　31A73

人工心肺を用いた体外循環中に生じる大動脈解離について正しいのはどれか．

- a．大腿動脈送血では解離は生じない．
- b．灌流圧を下げた状態で人工心肺を継続する．
- c．上行大動脈は緊満する．
- d．上行大動脈の色調の変化がみられる．
- e．脱血不良となる．

1. a, b　2. a, e　3. b, c　4. c, d　5. d, e

問題3 □□□　25A73

人工心肺中の空気塞栓の原因で誤っているのはどれか．

1. 脱血回路からの大量の空気混入
2. 貯血槽内の血液レベルの低下
3. 膜型肺における血漿漏出
4. 送血ポンプ流入側回路の破損
5. 左室ベントの過剰な吸引

問題4 □□□　25P74

人工心肺中のトラブルとその対応との組合せで正しいのはどれか．

- a．脱血カニューレの脱落―――――送血ポンプの停止
- b．膜型人工肺における wet lung――人工肺の交換
- c．人工肺内の血栓形成―――――ヘパリンの追加投与
- d．熱交換器の水漏れ―――――冷温水槽の交換
- e．大動脈内への気泡の誤送―――送血ポンプの逆回転

1. a, b　2. a, e　3. b, c　4. c, d　5. d, e

問題5 □□□　23P70

人工心肺中のトラブルと対処について誤っているのはどれか．

1. 溶血が顕著な場合にはポンプチューブの圧閉度を調整する．
2. 代謝性アルカローシス時には重炭酸ナトリウムを追加する．
3. ヘマトクリット値の低下時には水分バランスをチェックする．
4. ACTが延長しない時にはヘパリンを追加する．
5. 脱血不良時には脱血カニューレの挿入部位をチェックする．

問題6 □□□　23P73

人工肺のガス交換トラブル時の点検項目で誤っているのはどれか．

1. 酸素供給ラインの接続状況
2. 供給酸素流量
3. 人工肺の破損の有無
4. ガス側への血漿漏出の有無
5. 貯血槽の液面レベル

問題 7　□□□　34P74

人工心肺を用いた体外循環中の安全管理で正しいのはどれか.

1. レベルセンサには磁気センサが用いられている.
2. レベルセンサはエアトラップ（バブルトラップ）に取り付ける.
3. フィルタのサイズは動脈フィルタの方がバブルトラップより目が細かい.
4. 閉鎖回路では気泡流入の可能性はない.
5. エアブロックとは送血回路が空気で満たされ送血が止まることをいう.

問題 8　□□□　34P71

人工心肺を用いた体外循環中の溶血について正しいのはどれか.

1. 膜型肺より気泡型肺の方が溶血は少ない.
2. 遠心ポンプよりローラポンプの方が溶血は少ない.
3. 高度溶血例ではヘパリンを追加する.
4. 細い送血カニューレを用いると溶血は少なくなる.
5. 血中カリウム濃度が上昇した場合, 高度溶血を疑う.

問題 9　□□□　35A74

人工心肺を用いた体外循環においてインシデントレポートを提出すべきなのはどれか.

a. ヘパリン投与後に ACT を測定しなかった.
b. ヘマトクリット値が低下したため赤血球輸血を行った.
c. 血圧が低下したため流量を増加させた.
d. 体外循環離脱困難であり IABP を挿入した.
e. 大動脈遮断後ヘパリンを投与していないことに気づき, ヘパリンを投与した.

1. a, b　2. a, e　3. b, c　4. c, d　5. d, e

問題 10　□□□　35P72

人工心肺を用いた体外循環中の事象と対処法について誤っているのはどれか.

1. 溶血が顕著な場合にはポンプチューブの圧閉度を調整する.
2. 代謝性アルカローシス時には炭酸水素ナトリウムを投与する.
3. ヘマトクリット値の低下時には水分バランスをチェックする.
4. ACT が延長しないときにはヘパリンを追加する.
5. 脱血不良時には脱血カニューレの挿入部位をチェックする.

問題 11　□□□　36P73

臨床工学技士が行う人工心肺業務として誤っているのはどれか.

a. 回路からの薬剤注入を行う.
b. 留置カニューレから採血を行う.
c. 回路の充填を行う.
d. 術野でカニューレを回路に接続する.
e. 開始前に患者の静脈から採血を行う.

1. a, b　2. a, e　3. b, c　4. c, d　5. d, e

問題 12　□□□　37P73

人工心肺を用いた体外循環時に大動脈解離が発生した場合の対応で誤っているのはどれか.

1. 送血温を下げる.
2. 送血圧を上げる.
3. 真腔に送血カニューレを入れ直す.
4. 上行大動脈の色調を確認する.
5. 経食道心臓超音波検査を行う.

〈解答〉問題 1-1, 問題 2-5, 問題 3-3, 問題 4-1, 問題 5-2, 問題 6-5, 問題 7-3, 問題 8-5, 問題 9-2, 問題 10-2, 問題 11-5, 問題 12-2

III. 血液浄化療法装置

1. 血液透析療法

（1）統計データ（2021 年度末）

○ 統計　【33回】──────────────────────────── ★★
- 我が国の透析患者数は，2021 年末現在，約 34 万 9700 人である：毎年約 1 万人ずつ増加している．
- 人口 100 万人あたりの透析患者数は 2786 人.
- 夜間透析の割合は全体の約 8.8%.
- 年間粗死亡率は毎年約 9〜10% を推移している（2021 年度末は 10.4%）.
  - 維持透析患者の死亡数は増加
- 血清アルブミン濃度が高いと生命予後は良くなる.
- 尿素の Kt/V が増加すると生命予後は良くなる.
- 男性より女性の方が生命予後は良い.

導入平均年齢（2021 年末現在）
- 男性　70.4 歳
- 女性　72.3 歳
- 平均　71.09 歳

透析導入原因疾患（2021 年末現在）
- 1 位　糖尿病性腎症（透析人口に対する原疾患でも糖尿病性腎症が最も多い）
- 2 位　慢性糸球体腎炎
- 3 位　腎硬化症

透析患者の死亡原因（2021 年末現在）
- 1 位　心不全
- 2 位　感染症
- 3 位　悪性腫瘍
- 4 位　脳血管障害

（2）血液浄化療法の目的

○ 体内不要物質，病因物質，病因関連物質の除去，体内欠乏物質の補充
【34回】【35回】【37回】──────────────────────── ★★★
- 除水
- 体内不要物質の除去
- 電解質バランスの是正
  - カリウムの除去
- 酸塩基平衡の是正
- 代謝性アシドーシスの是正
  - 重炭酸の補充
- 尿素の除去

❷薬物の除去

血液浄化療法装置
第2版
p.55～59
最新 血液浄化療法装置
p.59～61

（3）原理 【36回】【37回】 ★★

血液透析	拡散現象，吸着，限外濾過
腹膜透析	拡散現象，浸透圧，リンパ管吸収

○ 拡散

❷拡散現象の駆動：溶質の濃度差
❷拡散は溶質の移動（濃い溶液→薄い溶液）
❷半透膜は，細孔によるふるい分け
❷小分子量物質は大分子量物質に比べて拡散
スピードが速い．
　・小分子：分子量　～500
　・中分子：分子量　500～5,000
　・大分子：分子量　5,000～

〈分子量〉
尿素窒素　60 [Da]
クレアチニン　113 [Da]
ビタミン B_{12}　1355 [Da]
β_2-MG　11800 [Da]
α_1-MG　33000 [Da]
アルブミン　68000 [Da]

○ 限外濾過

❷濾過の駆動：圧力差
　・現在の血液透析の圧力差は陰圧方式．

○ 浸透圧

❷浸透圧の駆動：濃度差（浸透圧差）
❷浸透は溶媒の移動（薄い溶液→濃い溶液）

○ 吸着

❷ファンデルワールス力，静電相互作用や水素結合になどにより起こる．
❷ダイアライザ膜の種類によってはタンパク質の吸着が起こる．

（4）分類

血液浄化療法装置
第2版
p.80～90

	治療種類	全体の割合	特徴
血液透析 など	血液透析（HD）	43.5%	小分子量物質の除去を得意とする
	血液透析濾過（HDF）	52.6%	小・中・大分子量物質の除去を得意とする
	血液濾過（HF）	0.0%	中・大分子量物質の除去を得意とする
	血液吸着透析	0.4%	
	在宅血液透析（HHD）	0.2%	
腹膜透析 など	腹膜透析（PD）	2.5%	中・大分子量物質の除去を得意とする
	腹膜透析と血液透析併用	0.6%	

（2021年末現在）

治療概要

❷血漿吸着：全血から分離した血漿成分を吸着器に灌流する．

- ▶血液濾過：限外濾過膜を使用して濾液を除去する．
- ▶血液透析：拡散を利用して老廃物を除去する．
- ▶直接血液吸着：全血を直接吸着器に灌流する．
- ▶細胞分離：血液中の細胞成分を除去する．

○体外限外濾過法（extracorporeal ultrafiltration method：ECUM）【34回】 ── ★★
- ▶血液透析（HD）に追加して行われることが多い．
- ▶透析液（置換液）を使用せず，透析膜に陰圧をかけて体内の余分な水分のみを取り除く．
- ▶等張性にゆっくり除水を行うため，循環動態が安定する．

○血液濾過（hemofiltration：HF） ── ★
- ▶血液透析と比べ，中・大分子量物質の除去に優れる．
- ▶中分子量尿毒症原因物質とは分子量 200〜5000 の物質をいう．
- ▶大分子量尿毒症原因物質とは分子量 5000 以上の物質をいう．
- ▶補充液が必要である．
- ▶専用装置が必要である．
- ▶後希釈法 HF の補充液流量は血流量（Q_B）に依存する．

○血液透析濾過（hemodiafiltration：HDF）【35回】【36回】【37回】 ── ★★★
- ▶オンライン HDF では清浄化した透析液の一部を補充液（置換液）として使用する．
  - ・同条件の血液透析に比べ，浄化器に流れ込む透析液量は減少する．
- ▶オフライン HDF では無菌的処理された電解質液バッグ（ボトル）を補充液として使用する．
- ▶血液透析に比べて中・大分子量物質の除去に優れる．
- ▶HDF に必要な機器および透析液水質基準
  - ・ヘモダイアフィルタ
  - ・HDF 専用装置
  - ・エンドトキシン捕捉フィルタ（endotoxin retentive filter：ETRF）管理基準：2 列直列に使用
  - ・日本透析医学会の定める水質基準
  - ・日本透析医学会の定める透析液水質管理基準

○持続的血液濾過（CHF），持続的血液透析濾過（CHDF）【34回】 ── ★★
特徴
- ▶慢性維持透析に用いられる間欠的血液透析療法（IHD）と比較して，低い透析効率を長時間施行する．
- ▶近年，集中治療や救急治療領域に不可欠の治療法である．

適応疾患
- ▶急性腎不全
- ▶うっ血性心不全
- ▶重症急性膵炎
- ▶敗血症

- ❯多臓器不全
- ❯劇症肝炎または術後肝不全
- ❯急性呼吸不全
- ❯急性循環不全
- ❯循環動態が不安定になった慢性腎不全

（5）構成

○標準的な回路構成 【34回】【35回】 ━━━━━━━━━━━━━━━━━━━ ★★

血液浄化療法装置
第2版
　回路構成
　p.59〜60
　希釈法と置換法
　p.83〜86
最新 血液浄化療法装置
　回路構成
　p.79〜81
　HDF の理論
　p.85〜88

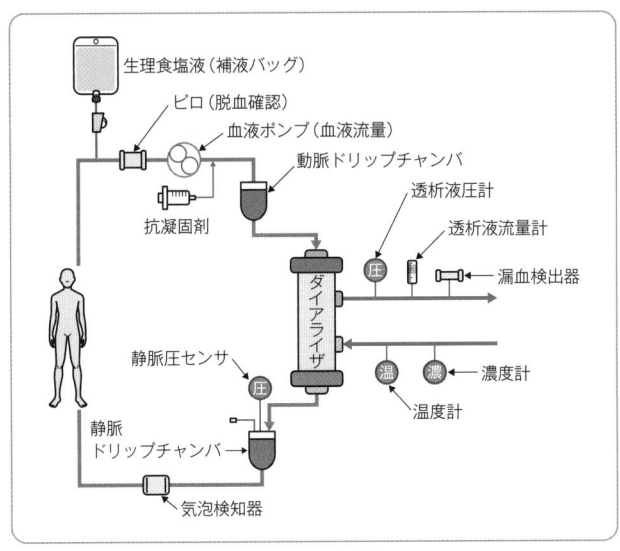

- ❯生理食塩液（補液バッグ）：陰圧で引き込むため，血液ポンプよりも上流に設置されている．
- ❯ピロ（脱血確認）：脱血不良を目視で確認するため，血液ポンプよりも上流に設置されている．また，ピロ内で発生した凝血塊を生理食塩液にて動脈ドリップチャンバに送るため，生理食塩液（補液バッグ）と血液ポンプの間に設置されている．
- ❯抗凝固剤：抗凝固剤シリンジが不適切に装着された場合に急激な抗凝固剤注入を防止するため，血液ポンプよりも下流に設置されている．
- ❯ダイアライザ：血液と透析液を向流に流し，拡散効率を上げる．
- ❯静脈圧センサ：患者返血ラインの圧力を反映するため，静脈ドリップチャンバ上部に設置されている．
- ❯気泡検知器：返血側の患者に戻る直前（静脈ドリップチャンバより下流）に設置されている．

○**HDF 療法における希釈法と置換液量** 【36回】【37回】 ──────────── ★★

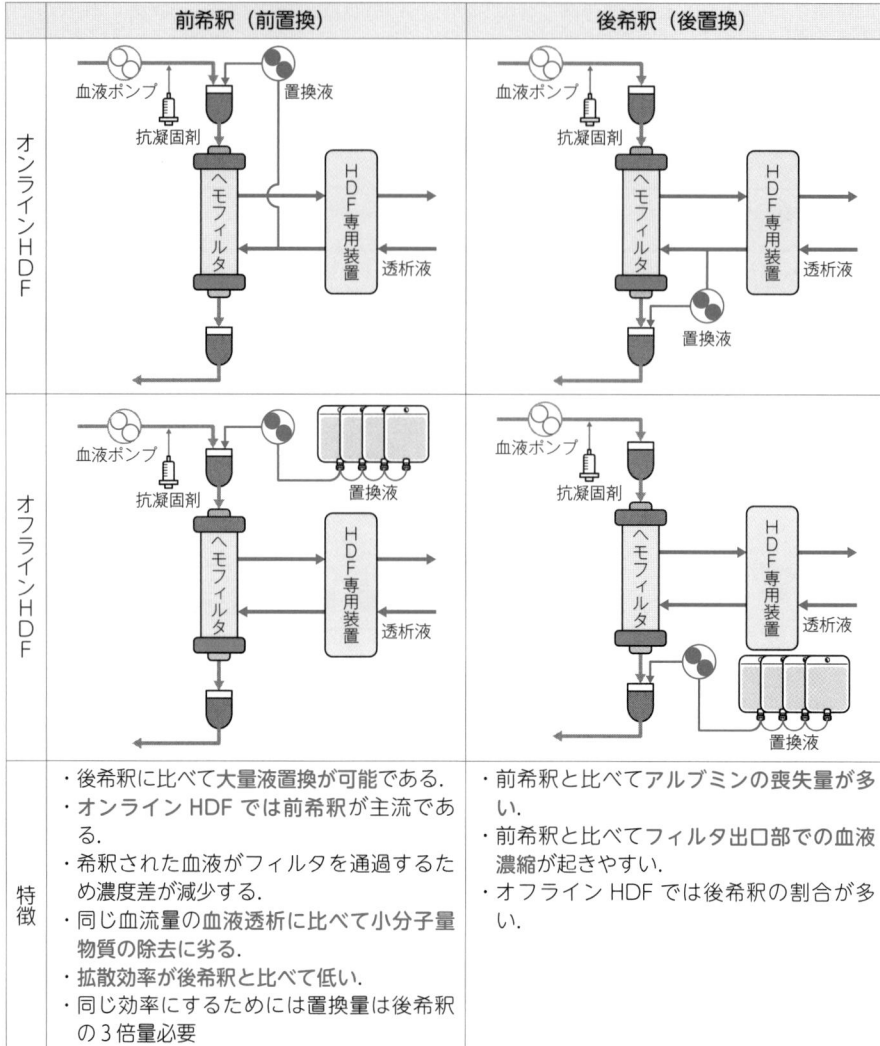

	前希釈（前置換）	後希釈（後置換）
オンラインHDF		
オフラインHDF		
特徴	・後希釈に比べて大量液置換が可能である. ・オンライン HDF では前希釈が主流である. ・希釈された血液がフィルタを通過するため濃度差が減少する. ・同じ血流量の血液透析に比べて小分子量物質の除去に劣る. ・拡散効率が後希釈と比べて低い. ・同じ効率にするためには置換量は後希釈の 3 倍量必要	・前希釈と比べてアルブミンの喪失量が多い. ・前希釈と比べてフィルタ出口部での血液濃縮が起きやすい. ・オフライン HDF では後希釈の割合が多い.

問題 1 □□□ 27P77

慢性透析患者の三大死因に入るものはどれか.

1. 肝硬変
2. 肺血栓塞栓症
3. 感染症
4. 尿毒症
5. 腸閉塞

問題 2 □□□ 30A75

前希釈血液透析濾過（HDF）の特徴で正しいのはどれか.

a. 後希釈 HDF に比べて大量液置換が可能である.
b. 後希釈 HDF に比べてアルブミン喪失量が多い.
c. 後希釈 HDF に比べてフィルタ出口部での血液濃縮が
起きやすい.
d. 血液透析に比べて大分子溶質の除去に劣る.
e. 同じ血流量の血液透析に比べて小分子溶質の除去に
劣る.
1. a, b　2. a, e　3. b, c　4. c, d　5. d, e

問題 3 □□□ 30A79

持続的血液濾過（CHF）もしくは持続的血液透析濾過
（CHDF）の適応とならないのはどれか.

1. 急性腎障害
2. うっ血性心不全
3. 重症急性膵炎
4. ギラン・バレー症候群
5. 敗血症

問題 4 □□□ 31A74

オンライン血液透析濾過で正しいのはどれか.

1. 透析液とは別にバッグに入った置換液が必要である.
2. 透析困難症とアミロイドーシスに保険適応疾患が限ら
れる.
3. わが国では前希釈法が主流である.
4. エンドトシキン捕捉フィルタは不要である.
5. 血液浄化器には血液透析と同じダイアライザが使用さ
れる.

問題 5 □□□ 34A74

血液透析によって積極的に除去すべき成分はどれか.

a. アミノ酸
b. 尿素
c. リン
d. β_2-ミクログロブリン
e. アルブミン
1. a, b, c　2. a, b, e　3. a, d, e
4. b, c, d　5. c, d, e

問題 6 □□□ 35A75

血液透析の治療自体で改善される病態はどれか.

a. 低栄養
b. 腎性貧血
c. 高カリウム血症
d. 代謝性アシドーシス
e. 二次性副甲状腺機能亢進症
1. a, b　2. a, e　3. b, c　4. c, d　5. d, e

問題 7 □□□ 34A76

液の補充を必要としない治療はどれか.

1. 血液濾過（HF）
2. 単純血漿交換（Pex）
3. 血液透析濾過（HDF）
4. 体外限外濾過法（ECUM）
5. 二重濾過血漿分離交換法（DFPP）

問題 8 □□□ 35P74

清浄化した透析液を置換補充液として利用する治療はどれ
か.

1. 血液透析
2. 血液濾過
3. オンライン血液透析濾過
4. 持続的血液透析濾過
5. 持続的腹膜透析

問題 9　□□□　34P78

急性血液浄化として持続的に施行される治療はどれか.

1. CART
2. CHDF
3. DFPP
4. HHD
5. On-line HDF

問題 10　□□□　34A75

血液透析の回路構成として適切でないのはどれか.

1. 中空糸型ダイアライザ内で血液と透析液を並流になるよう流した.
2. 抗凝固薬注入ラインを血液ポンプの下流側に設置した.
3. 生理食塩液の注入ラインを血液ポンプの上流側に設置した.
4. 返血側ドリップチャンバ上部から圧ラインを引いた.
5. 返血側ドリップチャンバの下流側に気泡検知器を設置した.

問題 11　□□□　35A76

血液透析の標準的回路構成として誤っているのはどれか.

1. 生理食塩液の注入ラインを血液ポンプ下流側に設置した.
2. 抗凝固薬注入ラインを血液ポンプ下流側に設置した.
3. ダイアライザ内血液と透析液が向流（平行かつ反対向き）になるよう接続した.
4. 静脈側ドリップチャンバから圧ラインを確保した.
5. 気泡検知器を静脈側ドリップチャンバ下流側に設置した.

問題 12　□□□　36A75

血液透析によって積極的に除去すべき血中の物質はどれか.

a. クレアチニン
b. 尿 素
c. β_2-ミクログロブリン
d. 重炭酸
e. ヘモグロビン
1. a, b, c　2. a, b, e　3. a, d, e
4. b, c, d　5. c, d, e

問題 13　□□□　36P74

血液浄化に関連して正しい組合せはどれか.

a. 限外濾過————溶質の濃度差による移動
b. 拡 散————圧力差による移動
c. 浸 透————溶媒の移動
d. 半透膜————細孔によるふるい分け
e. 吸 着————吸着材への溶解
1. a, b　2. a, e　3. b, c　4. c, d　5. d, e

問題 14　□□□　37A75

血液透析によって補助される腎臓の機能として正しいのはどれか.

a. 酸の排泄
b. 過剰な体液の除去
c. アミノ酸の再吸収
d. 貧血の改善
e. ビタミン D の活性化
1. a, b　2. a, e　3. b, c　4. c, d　5. d, e

問題 15　□□□　37A76

半透膜を介した拡散分離操作はどれか.

1. 限外濾過
2. 精密濾過
3. 透 析
4. 吸 着
5. 遠心分離

問題 16　□□□　37A77

オンライン血液透析濾過について誤っているのはどれか.

1. 清浄化した透析液を置換補充液として利用する.
2. 前希釈法に比べ後希釈法では大量置換が可能である.
3. 血液透析に比べ α_1-ミクログロブリンの除去に優れる.
4. エンドトキシン捕捉フィルタを使用する.
5. ヘモダイアフィルタを使用する.

血液透析中の血圧低下時の処置として適切なのはどれか.

- a．下肢挙上
- b．血流量増加
- c．除水速度増加
- d．生理食塩液補充
- e．マンニトール注射液投与

1．a，b，c　　2．a，b，e　　3．a，d，e
4．b，c，d　　5．c，d，e

〈解答〉問題 1-3，問題 2-2，問題 3-4，問題 4-3，問題 5-4，問題 6-4，問題 7-4，問題 8-3，問題 9-2，問題 10-1，問題 11-1，問題 12-1，問題 13-4，問題 14-1，問題 15-3，問題 16-2，問題 17-3

（6）透析器，濾過器

○種類 ★

- ❯中空糸型：シェア No.1
- ❯積層型（平板型）：シェアは少ないが使用されている．
- ❯コイル型：現在使用されず

○血液浄化器の選択 ★

- ❯体外限外濾過法には透水性が高いものがよい．
- ❯中・高分子量物質除去には高透水性膜がよい．
- ❯小児にはプライミング量が少ない血液浄化器，血液回路を選択する．
- ❯導入初期では低効率血液浄化器がよい．
  - ・不均衡症候群を起こさないためにも，膜面積は小さいものを選択する．

○ダイアライザの滅菌法

- ❯高圧蒸気滅菌
- ❯ガンマ線滅菌
- ❯電子線滅菌
- ❯EOG 滅菌：EOG（ethylene oxide gas：エチレンオキサイドガス）の優先順位は一番最後（現在は使われていないため）

○ダイアライザの構造 ★

- ❯中空糸型では血液と透析液は向流（反対方向）に流す．
  - ・病因物質の除去速度が大きいため
- ❯中空糸の内側には血液が流れる．
  - ・中空糸束の中心部ほど血液が流れやすい．
- ❯中空糸の外側には透析液が流れる．
  - ・中空糸束の外側（外筒近傍）ほど透析液が流れやすい．

ダイアライザの標準的仕様 ★

- ❯膜面積：0.5〜2.5 m^2
- ❯中空糸本数：10,000 本程度
- ❯中空糸内径：200 μm 程度
- ❯膜厚：10〜60 μm
- ❯有効長：150〜250 mm
- ❯ハウジング（外筒）内径：5 cm
- ❯耐圧：500 mmHg
- ❯ポアサイズ：20〜60 Å
- ❯プライミングボリューム：150 mL 前後

○材質

- ❯グロブリンは血液透析膜を通過しない．
- ❯エンドトキシンは血液透析膜を通過する．
- ❯生体適合性がよい（高い）膜では，補体の活性化の反応が少ない．

セルロース系膜 ───────────────── ★

- ❯膜厚を薄くでき，強度に優れる．
- ❯合成高分子と比較し，生体適合性は劣る：合成高分子の方が生体適合性がよい．
- ❯酢酸セルロース膜は合成高分子と比べてタンパクが吸着しにくい．
- ❯酢酸セルロース膜は OH 基をアセチル基で置換することで生体適合性を向上させている．
- ❯再生セルロースは補体活性が強い（生体適合性が悪い）ためシェアは全体の 0.2％．

ポリスルホン（polysulfone：PS）膜

- ❯日本国内で最も使用されているダイアライザ．
- ❯比較的構造が簡易であり，安定性，生体適合性がよい．
- ❯小分子量物質から β_2-MG（microglobulin：ミクログロブリン）に至るまで比較的高い溶質透過性をもち，透水性も優れている．構造は非対称構造．
- ❯ハイパフォーマンス膜であり，内部濾過のため，β_2-MG などの中・大分子量物質除去に優れている一方，アルブミン漏出量が多く，低栄養・高齢の患者には不適切である．
- ❯親水化剤としてポリビニルピロリドン（PVP）が含まれている．
- ❯荷電に関する官能基を持たないため，ほとんど荷電を持たない．

エチレンビニルアルコール（ethylene vinylalcohol：EVAL）膜 ─────── ★

- ❯親水性である．
- ❯血小板系，凝固系に対する影響がなく，抗血栓性に優れている．
- ❯PVP（親水化剤）を使用していない．
- ❯補体への影響が軽度とされている．
- ❯アミノ酸漏出量を抑える効果があるとされている．また，アルブミン・タンパク漏出が少ない．

ポリメチルメタクリレート（polymethyl methacrylate：PMMA）膜

- ❯生体適合性がよく，炎症性サイトカインの除去にも優れる．
- ❯β_2-MG などの低分子量タンパクの吸着量が多いのが特徴．
- ❯膜特性として吸着を主としているため，膜の経時劣化が激しい．
- ❯セルロース系膜と比して膜厚が大きい．
- ❯透析中の顆粒球エラスターゼの上昇の報告がある．
- ❯中・大分子量物質吸着除去に優れている．疎水性が高いため，血漿タンパクが膜に付着しやすい．

$$\begin{bmatrix} \begin{matrix} H & CH_3 \\ | & | \\ -C & -C- \\ | & | \\ H & C \\ & | \\ & COOCH_3 \end{matrix} \end{bmatrix}_n$$

ポリアクリロニトリル（polyacrylonitrile：PAN）膜

❯原料は疎水性のアクリロニトリルに親水性ビニルモノマーを共重合させたもの．

❯濾過膜や濾過性能の高い透析膜として，生体適合性に優れている．

❯PAN 膜は陰性荷電が強い．

$$\begin{bmatrix} \begin{matrix} H & H \\ | & | \\ -C & -C- \\ | & | \\ H & C=N \end{matrix} \end{bmatrix}_m \begin{bmatrix} \begin{matrix} CH_3 \\ | \\ -C- \\ | \\ C-O \\ | \\ O \\ | \\ SO_3Na \end{matrix} \end{bmatrix}$$

○ダイアライザの膜構造 ★

均一構造	非対称構造
・再生セルロース ・EVAL 膜 ・PMMA 膜 ・CTA 膜	・PAN 膜 ・PS 膜 ・PEPA 膜 ・PES 膜 ・MRC 膜

○親水化剤（ポリビニルピロリドン：polyvinylpyrrolidone：PVP）を用いたダイアライザ 【36回】 ★★

❯ポリエーテルスルホン（polyethersulfone：PES）

❯ポリスルホン（PS）

❯ポリエステル系ポリマーアロイ（polyarylate/polyethersulfone：PEPA）

○性能指標 【34回】 ★★

溶質透過性	クリアランス：CL（mL/min）	ダイアリザンス：DB（mL/min）
	総括物質移動面積係数：KOA（mL/min）	
透水性	濾過係数：LP （mL/(hr×m²×mmHg)）	限外濾過率：UFRP （mL/(hr×mmHg)）
溶質分離特性	ふるい係数：SC	

クリアランス

❯血流量が多くなるほどクリアランスは増加するが比例はしない．

❯溶質のクリアランスは血流量を超えない．

❯膜面積が広いほどクリアランスは増加する．

❯透析液流量の増加とともにクリアランスは増加するが，透析液流量 400〜500 mL/min 程度で尿素のクリアランスはほぼ頭打ちとなる．

❯クリアランスは基本的に時間に依存しない．

❯限外濾過量を増せば，クリアランス値は増加する．限外濾過で除去される水分ととも

に尿毒症物質も除去されるからである.

ふるい係数

❯ふるい係数が小さい溶質は膜を通過しにくい.

❯溶質分離特性を表す.

❯小分子タンパクでは，血液系より水系の方が高い値を示す.

❯0～1 の間で，プラスの値となる.

❯単位はない（無次元）.

○クリアランス計算 ──────────────────────────── ★

$$CL = \frac{ダイアライザ入口濃度 - ダイアライザ出口濃度}{ダイアライザ入口濃度}$$

$$\times (血流量 - 限外濾過量) + 限外濾過量$$

※ （血流量 - 限外濾過量）＝ダイアライザ出口流量

$$CL = \frac{透析液出口濃度 \times (透析液流量 + 限外濾過量)}{ダイアライザ入口濃度}$$

例題

　ある患者に対し，血流量 240 mL/min，透析液流量 500 mL/min の条件で血液透析を行った．限外濾過流量は 10 mL/min に設定し，BUN を測定したところ，動脈側 48 mg/dL，静脈側 12 mg/dL であった．

　このダイアライザの尿素クリアランスを求めよ.

解答

$$CL = \frac{ダイアライザ入口濃度 - ダイアライザ出口濃度}{ダイアライザ入口濃度} \times (血流量 - 限外濾過流量) + 限外濾過流量$$

より，

$$CL = \frac{48 - 12}{48} \times (240 - 10) + 10$$

$$= 0.75 \times 230 + 10$$

$$= 182.5 \text{ mL/min}$$

例題

　ある患者に対し，血流量 240 mL/min，透析液流量 500 mL/min の条件で血液透析を行った．限外濾過流量は 20 mL/min に設定し，BUN を測定したところ，動脈側尿素窒素は 65 mg/dL，透析液出口尿素窒素は 25 mg/dL であった．

　このダイアライザの尿素クリアランスを求めよ.

解答

$$CL = \frac{透析液出口濃度 \times (透析液流量 + 限外濾過流量)}{ダイアライザ入口濃度} \text{ より，}$$

$$CL = \frac{25 \times (500 + 20)}{65} = 200 \text{ mL/min}$$

（7）透析装置と関連システム

○ 透析液供給装置

❱2 液混合型では，原液を RO 水で希釈した後に混合する．

○ 透析装置（患者監視装置）監視項目　【33 回】【36 回】【37 回】 ━━━ ★★★

血液系	透析液系
気泡検出器：超音波 静脈圧：ストレインゲージ 血液流量	漏血検出器：光（赤外線） 濃度計：電導度 温度計：サーミスタ 透析液圧力：ストレインゲージ 透析液流量 除水量

○ 除水制御方式 ━━━━━━━━━━━━━━━━━━━━━━━ ★
密閉容量方式

❱ダブルチャンバ方式

❱複式ポンプ方式

❱ビスカスコントロール方式：透析液側に除水ポンプの必要はない．

○ 水処理装置　【33 回】 ━━━━━━━━━━━━━━━━━━━━ ★★

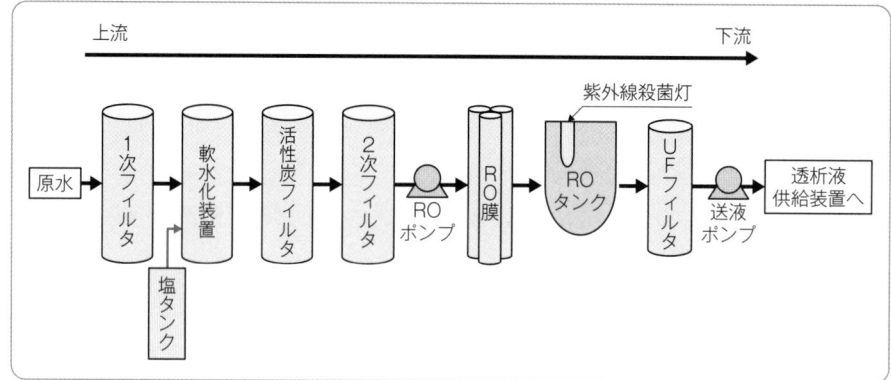

原水

❱透析液原水として使用する際には，水道法に準拠した水質の担保が必要である．

❱水道法に準拠していれば，地下水の使用も可能である．

1 次・2 次フィルタ（プレフィルタ，沈殿フィルタ，微粒子フィルタ，マイクロフィルタ）

❱原理：濾過

❱除去する対象：懸濁粒子

❱プレフィルタの構造は糸巻き型が多い．

❱孔径 50 μm 程度

軟水化装置（陽イオン交換樹脂）
- ❥原理：陽イオン交換
- ❥除去する対象：原水中の硬度物質（主に Ca イオン，Mg イオンなど），一部金属（亜鉛，アルミニウム，カドミウムなど）
- ❥軟水化装置通過後の水中には，Mg イオン，Ca イオンは除去されているが，Na イオン（陽イオン）は存在している．

活性炭吸着装置
- ❥原理：吸着
- ❥除去する対象：残留塩素，クロラミン
- ❥活性炭吸着装置は軟水化装置の下流に設置する．
- ❥活性炭吸着装置通過後は，残留塩素がなくなるため，細菌の繁殖に注意する．
- ❥活性炭吸着装置は水処理システムの後半に設置する．

逆浸透装置
- ❥原理：濾過（逆浸透：RO）
- ❥除去する対象：Na イオン（軟水器で置換されたイオン），残留塩素以外すべて
- ❥前処理にて軟水化することで，RO 膜に大きな負担をかけることなく，不純物を除去できる．
- ❥RO 膜は部分濾過（クロスフロー方式）で処理水を得る．
- ❥RO 膜には合成高分子が使用される．
- ❥イオンやエンドトキシンなどほぼ全ての溶存物は透過できず，水のみ膜を透過し純水を得る．

紫外線殺菌灯（RO タンク内）
- ❥主に細菌の繁殖を防止する．
- ❥エンドトキシン（パイロジェン）は除去できない．

エンドトキシン捕捉フィルタ（UF フィルタ，限外濾過フィルタ，ETRF）
- ❥原理：濾過
- ❥除去する対象：エンドトキシン
- ❥エンドトキシン，細菌，ウイルスなどを濾過によって分離除去する．
- ❥透析液監視装置にはエンドトキシン捕捉フィルタを複数箇所に設置する．
- ❥分画特性は数千〜数万程度．

○エンドトキシン
- ❥グラム陰性桿菌の細胞壁に存在するリポ多糖体．内毒素である．
- ❥多糖部分とリピド A と呼ばれる脂質部分で構成されている．
- ❥発熱作用（パイロジェン）などの生物活性があり，活性の中心はリピド A にある．
- ❥血液や透析液中では会合体（集合体）を形成する
- ❥サイトカインが産生され多くの生物活性が発現する．
- ❥透析アミロイドーシスの原因となる．
- ❥敗血症の原因となる．
- ❥透析液中のエンドトキシンは通常の膜（プレフィルタ）で阻止できない．

・ETRF（エンドトキシン捕捉フィルタ）で除去する．
❷メンブレンフィルタ法にて検査可能

臨床工学技士国家試験問題　Check UP!

問題 1　□□□　29P75

ダイアライザで正しいのはどれか．

1. 中空糸型では，透析液はハウジング（外筒）近傍ほど流れやすい．
2. ポリスルフォン膜は対称構造を示す．
3. 血液と透析液とは同じ向きに流れる．
4. 積層型ダイアライザが広く使用されている．
5. 生体適合性が低い膜では補体の活性化などの生体反応が少ない．

問題 3　□□□　25A75

ダイアライザで正しいのはどれか．

1. 限外濾過率は透水性を表す指標である．
2. クリアランスは血流量の影響を受けない．
3. ふるい係数が大きい溶質は膜透過しにくい．
4. 透析液は中空糸束の中心部ほど流れやすい．
5. 膜面積が大きいと不均衡症候群は起きにくい．

問題 2　□□□　30A76

親水化剤としてポリビニルピロリドン（PVP）を使用した透析膜はどれか．

　a．エチレンビニルアルコール共重合体（EVAL）
　b．ポリエステル系ポリマーアロイ（PEPA）
　c．ポリエーテルスルフォン（PES）
　d．ポリスルフォン（PS）
　e．ポリメチルメタクリレート（PMMA）
1. a，b，c　2. a，b，e　3. a，d，e
4. b，c，d　5. c，d，e

問題 4　□□□　33P76

ある血液透析器の水系溶質除去性能を調べるため，透析器血液流入側と流出側クレアチニン濃度を測定したところ，それぞれ 10.0 および 1.0 mg/dL であった．血流量，透析液流量，濾過流量がそれぞれ，250，500，0 mL/min とすると，この血液透析器のクレアチニンクリアランス[mL/min] はどれか．

1. 180
2. 200
3. 225
4. 250
5. 500

除水制御方式として正しいのはどれか.

 a. 容量比例方式
 b. ベンチュリー方式
 c. ダブルチャンバ方式
 d. 複式ポンプ方式
 e. ビスカスコントロール方式
1. a, b, c　2. a, b, e　3. a, d, e
4. b, c, d　5. c, d, e

血液透析中に常時監視すべき項目はどれか.

 a. 気泡混入
 b. 血漿浸透圧
 c. 透析液エンドトキシン濃度
 d. 透析液圧
 e. 漏血
1. a, b, c　2. a, b, e　3. a, d, e
4. b, c, d　5. c, d, e

血液浄化装置の監視装置で誤っている組合せはどれか.

1. 漏血検知器 —— 光透過
2. 気泡検知器 —— 超音波
3. 濃度計 ———— 浸透圧
4. 温度計 ———— サーミスタ
5. 圧力計 ———— ストレインゲージ

原水中の残留塩素を主として除去する水処理装置はどれか.

1. プレフィルタ
2. 軟水化装置
3. 活性炭濾過装置
4. 逆浸透装置
5. 限外濾過フィルタ

糸球体濾過量と同じ単位をもつ指標はどれか.

 a. Kt/V
 b. ふるい係数
 c. クリアスペース
 d. 透析液流量
 e. 総括物質移動面積係数
1. a, b　2. a, e　3. b, c　4. c, d　5. d, e

透析液管理で正しいのはどれか.

 a. 軟水化装置はクロラミンを除去する.
 b. 2液混合型では原液を混合した後に希釈する.
 c. 活性炭吸着装置は軟水化装置の上流に設置する.
 d. 透析液温監視装置は高温による溶血を防止する.
 e. エンドトキシンカットフィルタは複数箇所に設置する.
1. a, b　2. a, e　3. b, c　4. c, d　5. d, e

個人用透析装置に組込まれていないのはどれか.

1. 電導度計
2. 気泡検出器
3. 透析液温計
4. 除水制御装置
5. 透析液浸透圧計

透析液について誤っているのはどれか.

1. カプラは定期的に消毒する.
2. 透析液ナトリウム濃度を上昇させると血圧が安定する.
3. 透析液に用いる原水は水道法による水質基準を満たす必要がある.
4. エンドトキシン捕捉フィルタは細菌も捕捉する.
5. 水処理装置は上流から逆浸透, 活性炭吸着, 硬水軟化装置の順である.

水処理システムの装置と除去する目的物質との組合せで正しいのはどれか.

1. 逆浸透装置 ──────── 懸濁粒子
2. プレフィルタ ──────── 遊離塩素
3. 活性炭吸着装置 ────── マグネシウムイオン
4. 軟水化装置 ──────── ナトリウムイオン
5. 限外濾過フィルタ ── エンドトキシン

血液透析施行中に常時監視している項目はどれか.

a. 血漿浸透圧
b. 漏　血
c. 気泡混入
d. 静脈側回路内圧
e. 透析液エンドトキシン濃度
1. a, b, c　　2. a, b, e　　3. a, d, e
4. b, c, d　　5. c, d, e

親水化剤としてポリビニルピロリドン（PVP）を含有し, 非対称構造をもつ透析膜はどれか.

a. セルローストリアセテート（CTA）
b. ポリスルフォン（PS）
c. ポリエーテルスルフォン（PES）
d. ポリエステル系ポリマーアロイ（PEPA）
e. ポリメチルメタクリレート（PMMA）
1. a, b, c　　2. a, b, e　　3. a, d, e
4. b, c, d　　5. c, d, e

〈解答〉問題 1-1, 問題 2-4, 問題 3-1, 問題 4-3, 問題 5-5, 問題 6-3, 問題 7-5, 問題 8-5, 問題 9-3, 問題 10-3, 問題 11-5, 問題 12-5, 問題 13-5, 問題 14-4, 問題 15-4

（8）透析液，補充液，置換液

血液浄化療法装置
第2版
　p.120〜122
最新 血液浄化療法装置
　透析液の種類と特
　徴
　p.101〜104

○組成 【33回】【34回】【35回】【37回】 ★★★

血液透析用	Na	K	Ca	Mg	Cl	酢酸	重炭酸	ブドウ糖	浸透圧
	mEq/L	mEq/L	mEq/L	mEq/L	mEq/L	mEq/L	mEq/L	mg/dL	mOsm/L
	140	2.0	3.0	1.0	110	8.0	30	100	280

腹膜透析用	Na	K	Ca	Mg	Cl	酢酸	乳酸	ブドウ糖（イコデキストリン）	浸透圧
	mEq/L	mEq/L	mEq/L	mEq/L	mEq/L	mEq/L	mEq/L	mg/dL	mOsm/L
	132	−	3.5〜4.5	0.5	96	−	40	1500〜4500	350〜500

- ▶血液透析液の成分で浸透圧に最も寄与するのはナトリウムである.
- ▶腹膜透析液の成分で浸透圧に最も寄与するのはブドウ糖（イコデキストリン）である.
- ▶アルカリ化剤として血液透析液には重炭酸ナトリウム（バイカーボ），腹膜透析液には乳酸（ラクテート）が含まれる.
- ▶腎不全状態では重炭酸イオンが補給される.
- ▶ジギタリス服用患者ではカリウム濃度調整が必要である.
- ▶ナトリウム濃度が低いと低血圧を起こしやすい.
- ▶酢酸透析液（酢酸ナトリウム）は血管拡張作用，心機能抑制作用があるため，現在アルカリ化剤としては使用されていない.

透析液計算

mEq（ミリイクイバレント）と mg（ミリグラム）の換算式

$$mg/L = \frac{\frac{mEq}{L} \times 式量}{価数}, \quad mEq/L = \frac{\frac{mg}{L} \times 価数}{式量}$$

※単位の L → dL の換算が必要となるので注意！

国試 【19回】

濃度が 1170 [mg/dL] の NaCl（分子量：58.5）水溶液の当量濃度はいくらか.

解答

$$mEq/L = \frac{濃度\left[\frac{mg}{L}\right] \times 価数}{式量} = \frac{(1170 \times 10) \times 1}{58.5} = 200\ mEq/L$$

---

132 mmol/L の NaCl（分子量：58.5）水溶液の溶質濃度 [mg/dL] はいくらか.

解答

$$\text{mg/L} = \frac{\frac{\text{mEq}}{\text{L}} \times 式量}{価数} = \frac{132 \times 58.5}{1} = 7722 \text{ mg/L} = 772.2 \text{ mg/dL}$$

国試 【21回】

　塩化ナトリウム，塩化カルシウム，ブドウ糖をそれぞれ 1 mmol 溶かして 1L にした水溶液の浸透圧濃度はいくらか.

解答

　水の中に入れると，塩化ナトリウムと塩化カルシウムは電離する（ブドウ糖はしない）．その後，電離した粒の数を数える.

　　塩化ナトリウム（NaCl）→ $Na^+ + Cl^-$

　　塩化カルシウム（$CaCl_2$）→ $Ca^{2+} + Cl^- + Cl^-$

　　ブドウ糖（$C_6H_{12}O_6$）→ $C_6H_{12}O_6$

したがって，6 mOsm/L となる.

血液浄化療法装置
第2版
　p.123〜126
最新 血液浄化療法装置
　p.126〜130

（9）抗凝固剤

○血液の凝固機序

　❍血液が異物と接触すると血液凝固第XII因子が活性化される.

　❍活性化部分トロンボプラスチン時間（activated partial thromboplastin time：APTT）は内因系を反映する.

　❍プロトロンビン時間（prothrombin time：PT）は外因系を反映する.

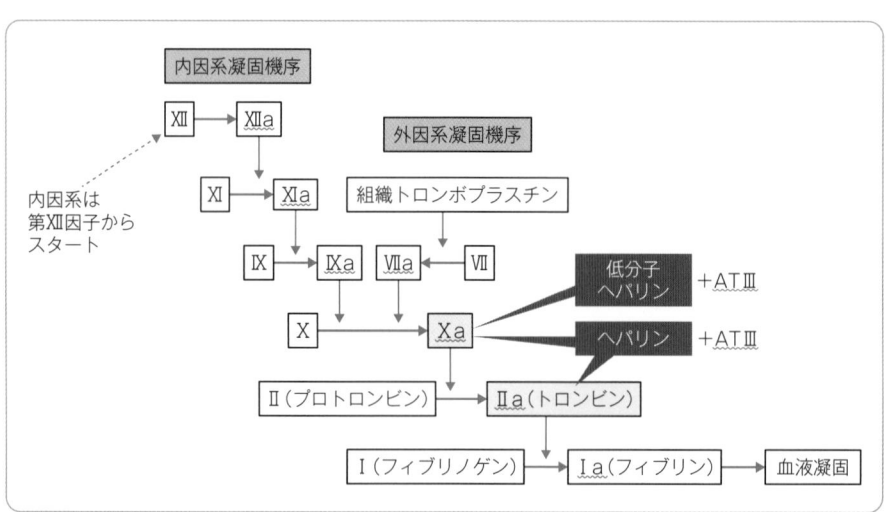

○抗凝固薬の種類と特徴

ヘパリン（未分画ヘパリン）【37回】 ─────────────────────── ★

- ❯長期使用することにより脂質代謝異常が出現する.
- ❯アンチトロンビンⅢ（antithrombin Ⅲ：ATⅢ）と結合し，凝固因子の Xa 因子および Ⅱa 因子（トロンビン）活性を強く阻害する.
- ❯APTT はヘパリン用量の調節に用いられる.
- ❯陰性に荷電している.
- ❯ヘパリンナトリウムはプロタミンで中和できる.
  - ・プロタミンは局所ヘパリン化法に用いられる.
- ❯副作用として HIT（heparin induced thrombocytopenia：ヘパリン起因性血小板減少症）を起こす.
  - ・血小板が減少する.
  - ・血栓塞栓性疾患を生じる.

低分子ヘパリン ────────────────────────────────── ★

- ❯アンチトロンビンⅢ（ATⅢ）と結合し，Xa 因子活性を阻害する．しかし，抗トロンビン（Ⅱa）活性および活性化部分トロンボプラスチン時間（APTT）延長活性が弱い.
- ❯ヘパリンよりも活性半減期が約 2 倍長い.
- ❯体外循環回路の凝血阻止効果は抗 Xa 作用に強く依存し，APTT などの凝固時間延長作用は抗 Ⅱa 作用に依存する．すなわち，低分子ヘパリンは凝固時間の延長を最小限で回路内凝固を抑制できる.

アルガトロバン

- ❯トロンビンの活性部位と選択的に結合し，フィブリン生成，血小板凝集促進を抑制する.
- ❯半減期は 30 分.
- ❯AT Ⅲ欠乏状態で使用できる.
- ❯HIT には保険適応である.

ナファモスタットメシル酸塩 【35回】 ───────────────────── ★

- ❯出血性病変を有する患者に使用できる.
- ❯半減期は 5〜8 分．回路内のみの抗凝固作用を示す.
- ❯ショック，アナフィラキシー様症状が現れることがある.
- ❯血液凝固の抑制だけでなく，抗血小板作用も有している.
- ❯分子量 539 のためダイアライザ膜孔を通過する（拡散によって抜ける）.
- ❯陰性荷電膜（ポリアクリロニトリル（PAN）膜）に吸着される.

クエン酸ナトリウム ───────────────────────────────── ★

- ❯クエン酸イオンにより，遊離 Ca イオンをキレートし血中 Ca 濃度を低下させ，Ca 依存性の凝固反応を抑制する.
- ❯カルシウムを含まない透析液を使用し，静脈側からの Ca イオンの補充が必要である.
- ❯輸血用血液製剤にも含まれる.

抗凝固剤まとめ

	ヘパリン	低分子ヘパリン	ナファモスタット メシル酸塩	アルガトロバン
分子量 （ダルトン）	3000～30000	4000～6000	539	530
作用機序	ATⅢを介してⅡa, Xaを阻害	ATⅢを介してXaを 阻害	Ⅱa, Xa, Ⅻa, Ⅶa などを直接阻害	Ⅱaを阻害
半減期	1～2時間	2～3時間	5～8分	30分
出血の 副作用	ある	少ない ※一部出血病変時に 使用可	ない ※出血病変時に使用可	ある
開始時 投与量	1000～2000単位 （使用しないこともあ る）	15～20 IU/kg	20 mg（プライミング） （使用しないこともあ る）	10 mg
持続投与量	500単位/h	7.5～10 IU/kg/h	20～40 mg/h	5～40 mg/h
モニタ法	ACT，APTT	抗Xa活性化凝固時間		
問題点	・凝固時間延長によ る出血 ・ATⅢ欠損症には作 用が不十分 ・脂肪分解作用によ る脂質代謝異常 ・骨脱灰作用による 骨粗鬆症 ・血小板活性化作用	・ATⅢ欠損症には作 用が不十分 ・血小板活性化作用 ・ACT測定ができな い	・陽性荷電のため， 強い陰性荷電の膜 であるPAN膜には 使用できない ・高カリウム血症の 副作用あり	・保険適応には HITの確定 診断が必要

問題 1　□□□　26A75 改

透析液で誤っているのはどれか.

1. アルカリ化剤として重炭酸ナトリウムや酢酸ナトリウムが含まれる.
2. 透析液組成を連続監視するため電気伝導度を測定する.
3. 透析液原水は逆浸透装置, 活性炭濾過装置, 軟水化装置の順に処理される.
4. 透析液のエンドトキシン濃度を低減するためにエンドトキシン阻止膜が用いられる.
5. 透析液原水として地下水を使うには水道法に準拠した水質の担保が必要である.

問題 2　□□□　27P76

血液透析について正しいのはどれか.

1. ジギタリス服用患者ではカリウム濃度調整が必要である.
2. ナトリウム濃度が高いと低血圧を起こしやすい.
3. 糖尿病患者には無糖透析液を用いる.
4. 酢酸透析液は血管収縮を起こす.
5. 透析液はアルカリ化剤を含まない.

問題 3　□□□　24P76

血液凝固で正しいのはどれか.

1. 血液が異物と接触すると血液凝固Ⅲ因子が活性化する.
2. メシル酸ナファモスタットは陽性荷電膜に吸着される.
3. 活性化部分トロンボプラスチン時間はヘパリン量の調節に用いられている.
4. ヘパリンはⅫ因子に直接作用し, 血液の凝固を阻止する.
5. クエン酸ナトリウムは血中のリンイオンを低下させる.

問題 4　□□□　25A77

抗凝固薬で正しいのはどれか.

1. ヘパリンには抗トロンビン作用がある.
2. ヘパリンは陰性荷電膜に吸着される.
3. 低分子量ヘパリンは分子量 1,500 程度の製剤である.
4. メシル酸ナファモスタットの半減期は 30 分である.
5. アルガトロバンは出血性病変を持つ患者に用いられる.

問題 5　□□□　30A78

作用発現にアンチトロンビンⅢの存在を必要とする抗凝固薬はどれか.

a. 非分画ヘパリン
b. 低分子量ヘパリン
c. メシル酸ナファモスタット
d. アルガトロバン
e. クエン酸ナトリウム

1. a, b　2. a, e　3. b, c　4. c, d　5. d, e

問題 6　□□□　26A78

血液透析の抗凝固療法で正しいのはどれか.

1. アルガトロバンの半減期は 2〜3 時間である.
2. プロタミンは局所ヘパリン化法に用いられる.
3. 低分子ヘパリンはヘパリンよりも半減期が短い.
4. ヘパリンは出血病変を有する患者に使用できる.
5. メシル酸ナファモスタットは陰性に荷電している.

抗凝固剤のメシル酸ナファモスタットについて正しいのは
どれか.

a．出血性病変を有する患者に使用できる.
b．血中カルシウムイオンを減少させる.
c．半減期は 2〜3 時間である.
d．プロタミンで中和できる.
e．陰性荷電膜に吸着される.

1．a，b　2．a，e　3．b，c　4．c，d　5．d，e

腹膜透析液に含まれ，除水を行うために必要な物質はどれ
か.

a．ブドウ糖
b．カリウム
c．アルブミン
d．クレアチニン
e．イコデキストリン

1．a，b　2．a，e　3．b，c　4．c，d　5．d，e

血液透析中の患者で血小板減少と血栓症が認められた場合，
原因として考えられる薬剤はどれか.

1．ナファモスタットメシル酸塩
2．鉄剤
3．エリスロポエチン製剤
4．ヘパリン
5．ビタミン D 製剤

ヘパリン起因性血小板減少症（HIT）について誤っている
のはどれか.

a．血栓症を起こす.
b．アルガトロバンを使用する.
c．血小板第 4 因子が関与する.
d．血小板輸血を行う.
e．ヘパリンコーティング回路を使用する.

1．a，b　2．a，e　3．b，c　4．c，d　5．d，e

市販されている血液透析用の透析液中の溶質濃度で正しい
のはどれか.

a．ブドウ糖濃度 100 mg/dL
b．重炭酸イオン濃度 25 mEq/L
c．カリウムイオン濃度 2 mEq/L
d．マグネシウムイオン濃度 0 mEq/L
e．ナトリウムイオン濃度 154 mEq/L

1．a，b，c　2．a，b，e　3．a，d，e
4．b，c，d　5．c，d，e

未分画ヘパリンによって活性が阻害される凝固因子はどれ
か.

1．フィブリン（第 I a 因子）
2．トロンビン（第 II a 因子）
3．第 III 因子
4．第 XII 因子
5．第 XIII 因子

〈解答〉問題 1-3，問題 2-1，問題 3-3，問題 4-1，問題 5-1，問題 6-2，問題 7-2，問題 8-4，問題 9-1，問題 10-2，問題 11-5，問題 12-2

（10）バスキュラーアクセス

血液浄化療法装置
第2版
p.129〜135
最新 血液浄化療法装置
p.131〜138

○**種類** 【33回】【36回】 ★★

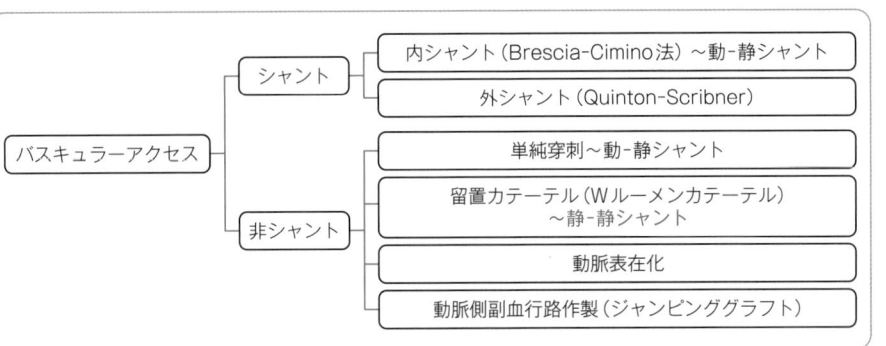

緊急に必要なバスキュラーアクセス

> ❯Wルーメンカテーテル（中心静脈カテーテル）→最も利用される
>
> ❯動脈直接穿刺
>
> ❯外シャント

○**内シャント** ★

> ❯現在，最も標準的なバスキュラーアクセス（vascular access：VA）である（第一選択）.
>
> ❯動脈と皮下静脈を直接吻合し，多くの血液を静脈に流す．ここから脱血，返血を行う.
>
> ❯全身には無数の動静脈が走行しているが，手術の容易さから，前腕が内シャント造設部位として選択されることが多い.
>
> ❯一般的に利き手と反対側の前腕に作製する.
>
> ❯初回手術では，橈骨動脈と橈側皮静脈を手関節よりやや中枢側で吻合することが多い.
>
> ❯返血用血管として，中心静脈ルートを用いることもある.
>
> ❯他のVAと比べ感染の発症率が低い.
>
> ❯他のVAと比べ開存期間が長い.
>
> ❯血液透析用としては流量は200 mL/min程度必要である.

○**人工血管（グラフト移植）** ★

> ❯材料
>
> ・テフロン製（e-PTFE）：使用率高い.
>
> ・ポリウレタン製
>
> ❯自己血管（内シャント）と比べ開存期間が短い.

○**外シャント**

> ❯いったん留置すると透析のたびに穿刺を行わなくてもよいという長所はあるが，短所として短期間で閉塞することが多い.
>
> ❯カニューレが体外に露出している.

○ 動脈表在化 ━━━━━━━━━━━━━━━━━━━━━━━━━━━━━━━━━━━━━━━ ★

- ❱ 内シャントを作製するのに十分な静脈がない場合や心機能低下例では，動脈を皮下に移動させ穿刺しやすくして脱血を行う．このような処置（手術）を動脈表在化という．
- ❱ よく用いられる動脈は上腕動脈で，皮膚を弧状に切開して深部の動脈を表在化させる．
- ❱ 動脈表在化を穿刺し脱血側とするが，血液の再循環を避けるため表在静脈など返血側の血管確保が求められる．
- ❱ 同一部位の反復穿刺は瘤化や血栓形成による動脈閉塞のリスクを高める．瘤となった部分を穿刺使用していて出血，閉塞，感染を合併した場合には，アクセス肢のみならず生命の危機を招く可能性があるので注意する．
- ❱ 止血時は，可能であれば止血器具を用いない用手的止血が推奨される．

○ 留置カテーテル（W ルーメンカテーテル） ━━━━━━━━━━━━━━━━━━━━━ ★

- ❱ 留置カテーテルは，腎不全急性増悪時やバスキュラーアクセス閉塞時などの緊急時の透析に現在一般的に用いられる．
- ❱ 挿入には，比較的太い内頸静脈や大腿静脈が選択される．
- ❱ 1 本のカテーテルの中に 2 つの独立した内腔があり，それぞれを脱血，返血にあてる．
- ❱ カテーテル内腔はたいへん細く，すぐに閉塞するため，連日ヘパリンで内腔を満たしておく必要がある（最近は生理食塩液のみの場合が多い）．
- ❱ カフ付きトンネルカテーテルによって感染リスクは低減する（100％感染防止はできない）．

合併症

- ❱ 縦隔血腫
- ❱ 気胸
- ❱ 不整脈

○ 合併症　【34 回】【37 回】 ━━━━━━━━━━━━━━━━━━━━━━━━━━━━━━ ★★

- ❱ 狭窄・閉塞：最も発生頻度が高い．
- ❱ 感染症
- ❱ スチール症候群（末梢循環障害）
- ❱ 静脈高血圧症（Sore thumb 症候群）
- ❱ 仮性動脈瘤：シャント動静脈瘤は手術適応．
- ❱ 動静脈瘻の石灰化：血流が不安定となる．

人工血管だけの特徴的な合併症

- ❱ 血清腫（ゼローマ）：ポリウレタン製では血清腫形成はほとんどない．
- ❱ グラフト瘤
- ❱ パンヌス（肥厚）

問題 1　□□□ 29A78

自己血管内シャントの特徴として正しいのはどれか.

a. 一時的バスキュラーアクセスとして使用される.
b. 心臓への負担が少ない.
c. 感染の発症率が低い.
d. 開存期間が長い.
e. 合併症の一つに静脈高血圧症がある.

1. a, b, c　2. a, b, e　3. a, d, e
4. b, c, d　5. c, d, e

問題 4　□□□ 23P76

血液透析に用いられる血管アクセスについて正しいのはどれか.

1. 中心静脈ルートは用いない.
2. 皮下動静脈瘻が石灰化すると血流が安定する.
3. 皮下動静脈瘻造設には上腕動脈が第一選択である.
4. 人工血管シャントの造設には ePTFE が用いられる.
5. 人工血管シャントは自己血管シャントより長期間使用できる.

問題 2　□□□ 30P78

緊急時の血液浄化に使用される一時的バスキュラーアクセスはどれか.

a. 内シャント
b. 動脈表在化
c. 中心静脈カテーテル
d. 動脈直接穿刺
e. 人工血管バイパスグラフト

1. a, b　2. a, e　3. b, c　4. c, d　5. d, e

問題 5　□□□ 24P77

バスキュラーアクセスで正しいのはどれか.

a. 第一選択は人工血管を用いた内シャントである.
b. 動脈表在化は心不全患者に用いられる.
c. スチール症候群ではシャントによって末梢循環障害を生じる.
d. シャント動静脈瘤は石灰化するので手術適応はない.
e. カフ付きトンネルカテーテルによって感染は防止される.

1. a, b　2. a, e　3. b, c　4. c, d　5. d, e

問題 3　□□□ 28P77

自己血管内シャント（AVF）にはみられず人工血管内シャント（AVG）特有の合併症はどれか.

1. 静脈高血圧症
2. スティール症候群
3. 静脈瘤
4. 感染
5. 血清腫

問題 6　□□□ 34P77

維持透析患者の内シャントで，本来末梢組織側に流れるべき血液がシャント側に流れることによって生じる末梢循環障害はどれか.

1. スチール症候群
2. 静脈高血圧症
3. ソアサム症候群
4. 仮性動脈瘤
5. 血清腫

緊急透析用バスキュラーアクセスとして最も利用されるのはどれか.

1. カテーテル法
2. 自己血管内シャント
3. 人工血管内シャント
4. 動脈表在化
5. 動脈直接穿刺

内シャントの合併症はどれか.

a. スチール症候群
b. 静脈高血圧症
c. 瘤形成
d. 不均衡症候群
e. 透析アミロイドーシス

1. a, b, c　　2. a, b, e　　3. a, d, e
4. b, c, d　　5. c, d, e

〈解答〉問題1-5, 問題2-4, 問題3-5, 問題4-4, 問題5-3, 問題6-1, 問題7-1, 問題8-1

（11）患者管理

○ **血圧低下（除水不良）** 【33回】【36回】【37回】 ─────── ★★★

原因
- ❯ 過剰な限外濾過
- ❯ ドライウエイトの設定ミス
- ❯ プラズマ・リフィリングの低下
- ❯ 心機能低下
- ❯ 貧血
- ❯ 過剰な降圧薬服用
- ❯ 全身不良状態

対処法
- ❯ 体外限外濾過法（extracorporeal ultrafiltration method：ECUM）の追加
- ❯ 高ナトリウム透析液の使用：透析液ナトリウム濃度を上昇させると血圧が安定する．
- ❯ ダイアライザ膜面積を小さくする：体外循環血液量を減らす目的
- ❯ 高張液（マンニトール等）を使用する．
- ❯ 限外濾過（除水）設定を下げる．または設定をゼロにする．
- ❯ 血流量を下げる．
- ❯ 生理食塩液の投与
- ❯ 透析液温を低下させる（低温透析）．
- ❯ 透析時間を長くし，1時間当りの除水量を少なくする．
- ❯ 昇圧剤を投与する．
- ❯ 血圧低下が著しい場合は，透析を中止する．
- ❯ 食事からのナトリウム摂取量を減少させる（体重増加を減らす目的）．

予防法
- ❯ 体重増加がドライウエイトの3〜5％以内になるように指導する．
- ❯ ドライウエイトを見直す．
- ❯ 透析療法を検討する．
  - ・プラズマ・リフィリングの低下がみられる患者には，持続的血液濾過法（CHF），血液透析濾過法（HDF），高ナトリウム透析法を考慮する．
- ❯ 除水量が多いときは1回の透析で除水せず，1週間で徐々に除水する：1回の透析での除水量を少なくする．
- ❯ 降圧剤内服スケジュールを検討する：透析日には内服しない．
- ❯ 貧血や栄養状態を改善する．
- ❯ 透析中の食事（胃への血流増加による血圧低下）に注意する．
- ❯ 急な体位の変化（血流分布の変化による血圧低下）に注意する．

○ **不均衡症候群** 【34回】 ──────────────── ★★

発症時期
- ❯ 透析導入期（透析維持期ではみられない）

病態生理
- ❯ 脳脊髄圧の亢進，脳浮腫

対処法

❷嘔吐時は，吐物の誤嚥を防ぐ．

❷頭痛には氷枕などを使用し，鎮痛薬を服用する．

❷症状が重篤であれば透析を中止する．

❷1回の透析での浸透圧の変化を少なくする．

予防法（低効率な透析を行う，浸透圧較差をなくす）

❷膜面積を小さくする．

❷血流量を下げる．

❷透析時間を短くする．

❷高張液の点滴（グリセオール，マンニトールなど）．

○慢性腎臓病に伴う骨・ミネラル代謝異常（CKD-MDB）

（二次性副甲状腺機能亢進症含む）【33回】 ━━━━━━━━ ★★

発症に関連

❷血清リン濃度上昇

❷血清カルシウム濃度低下

❷活性型ビタミンDの欠乏

❷アルミニウムの蓄積

❷アシドーシスでは高カルシウム血症の発生頻度が高まる．

対処法

❷カルシトニンの投与

❷活性型ビタミンDの投与

❷カルシウム受容体作動薬内服：PTHの合成と分泌を抑える

❷運動療法

❷リン吸着剤（塩酸セベラマーなど）の内服

❷副甲状腺摘除術

❷透析時間の延長：高リン血症の是正

高リン血症の管理

❷低リン食の食事療法

❷リン吸着剤の内服

・炭酸カルシウム

・塩酸セベラマー

・クエン酸第二鉄水和物

○異所性石灰化

❷Ca×P値が高いと，血管や組織にCaが沈着する．

○手根管症候群 ━━━━━━━━━━━━━━━━━━━━━━ ★

❷長期合併症

❷アミロイドタンパクの沈着が原因

治療法
- ❯手根管開放術
- ❯β_2-ミクログロブリン吸着カラムの使用

⦿腎性貧血　【34回】【37回】──────────────────────★★
- ❯遺伝子組換えヒトエリスロポエチン投与
- ❯栄養状態改善
- ❯鉄不足の改善

⦿心膜炎
- ❯透析患者の心膜炎の多くが，透析不足（尿毒症の蓄積）による．
- ❯高効率の透析を行うことで発症を防ぐことができる．

⦿消化管出血
- ❯出血が認められる場合にはヘパリンの使用は中止する．
- ❯内視鏡的クリップ術を行う．

⦿高血圧
- ❯透析患者の多くが，容量依存性高血圧である．
  - ・レニン依存性は少ない．

⦿心不全
- ❯体液過剰となるとリスクが高まる．

⦿食事療法基準　【35回】【36回】──────────────────★★
- ❯エネルギー：30〜35 kcal/kg/日
- ❯タンパク質：0.9〜1.2 g/kg/日
  - ・透析導入前のタンパク質制限は厳しくするが，透析導入後の制限は緩やかとなる．
- ❯食塩：6 g/日未満
- ❯水分：できるだけ少なく
- ❯カリウム：2000 mg/日以下
- ❯リン：タンパク質（g）×15 mg 以下
  - ・例えば，体重 60 kg の場合は 1080 mg 以下となる．

⦿透析患者の血液検査所見　【33回】──────────────────★★

増加	減少	変化なし
・リン ・カリウム：心電図テント状 T 波 ・マグネシウム ・尿毒症物質（クレアチン，BUN）	・カルシウム ・重炭酸（HCO_3^-） ・pH：代謝性アシドーシス ・Ht：腎性貧血 ・ヘモグロビン	・尿浸透圧（等張尿） ・ナトリウム（やや低下）

⦿透析効率（Kt/V）　【35回】【36回】─────────────────★★
- ❯尿素が全身の体液中にほぼ均等に分布しているものとした場合の適正血液浄化量の指

標である.

❯K：ダイアライザの尿素クリアランス

❯t：透析時間

❯V：尿素の体内分布容積

❯透析効率の目安は Kt/V＝1.2 以上

❯無次元数である：単位はない.

❯透析効率は尿素の除去能力を示す.

❯生命予後規定因子である.

透析効率（Kt/V）に関連する項目

❯ダイアライザの性能

❯膜面積

❯膜素材（材質，膜孔径など）

❯透析時間

❯血液流量

❯透析液流量

❯体重

（12）安全管理

○水質管理
水質保全 ──────────────────────── ★

❯カプラは定期的に消毒する.

❯透析液に用いる原水は水道法による水質基準を満たす必要がある.

❯重金属汚染の確認には水質検査を半年 or1 年ごとに実施する.

❯透析液のエンドトキシンは 1/週～1/月程度で測定する.

❯透析液の質を確保するために測定する項目

・エンドトキシン濃度

・透析液ナトリウム濃度

・生菌数

生物学的汚染基準の到達点

	生菌数 [CFU/mL]	エンドトキシン活性 [EU/mL]
透析用水	100 未満	0.050 未満
標準透析液	100 未満	0.050 未満
超純粋透析液	0.1 未満	0.001 未満（測定感度未満）

※ 2016 年度　透析液水質基準.

○関連装置・機器の保守点検
点検項目
〈始業時点検内容〉

❯装置周辺に液漏れなどの異常がないこと．特に給液口・排液口のホースクランプにゆるみがないこと.

❯装置外装に透析液や薬液などの異物が付着していないこと.

- 電源コンセントが医用コンセント（3P）に接続してあること.
- バッテリの残量を確認すること.
- 電源コード，ケーブル，コネクタなどに破損がなく，装置に接続されていること.
- 装置からの異音，異臭などがないこと.
- パトランプがすべて点灯すること.
- 冷却ファンのフィルタが汚れていないこと.
- 液晶ディスプレイが見づらくないこと.
- 事前水洗が正常終了し，消毒用薬液などが残留していないこと.
- 透析液原液の残量が十分であること（個人用透析装置）.
- 透析液作製時の自己診断が正常に終了すること.
- 透析液の温度や各成分濃度，pH，浸透圧が処方どおりであること.
- 新鮮透析液に気泡が混入していないこと.

〈使用中点検内容（日常点検）〉
- 体外循環回路中からの液漏れ（血液，透析液）や，回路内凝血・溶血がないこと.
- 新鮮透析液中に気泡が混入していないこと.
- 透析装置からの異音・異臭がないこと.
- パトランプが点灯していること.
- バスキュラーアクセスの状態（出血，回路固定など）.
- 一定時間ごとの自己診断が正常終了していること.

〈終業時点検内容〉
- 使用後に除水誤差などがないこと.
- 透析装置からの液漏れ・異音などがないこと.
- 透析装置外装に血液や薬液などの異物が付着していないこと.
- 消毒液の種類・残量が適正であること.
- 洗浄・消毒工程中に異常動作がないこと.

事故対策

空気混入事故　【33回】【37回】 ★★

〈原因〉
- 生理食塩液注入ライン（補液ライン）の閉鎖不良
- 穿刺針と回路の接続不良
- 動脈針の抜針，動脈留置針の破損，側孔からの空気混入
- ポンプセグメント部回路の破損
- エアドリップチャンバでの液調節不良
- 静脈チャンバ注入口の閉鎖不良，輸液・輸血後の閉鎖不良
- ヘパリンラインとシリンジの接続不良
- 回路とダイアライザの接続不良
- 回収操作（空気回収）
- 動静脈圧ラインの接続不良
- 気泡検知器の誤操作（スイッチの入れ忘れ）
- 脱血側サンプリングポートへの刺入ミス

〈症状〉
- 激しい咳嗽
- 胸内苦悶

❷血圧低下（ショック症状）

〈対処法〉

❷回路遮断（静脈側）

❷血液ポンプ OFF

❷トレンデレンブルグ体位（左側臥位＋頭部下げる）

❷酸素吸入

❷高気圧酸素療法（急性期が過ぎたら）

血流低下

〈対処法〉

❷穿刺側の肢位を正す．

❷穿刺針の固定を調整する．

❷血流を下げる（過度な陰圧は避ける）．

❷血液回路をフラッシュする．

〈その他〉

❷血圧低下を確認する．

❷脱血不良状態となっていないかを確認する．

❷陰圧が激しいと，溶血を起こし漏血センサーが鳴ることもある．

漏血警報

〈対処法〉

❷膜の破損によるリークがないかを確認する．

❷脱血不良が起きていないかを確認する．

❷漏血検知器が正しく動作しているかを調べる．

❷目視で確認できない場合は試験紙で判断する．

・必ずダイアライザ透析液出口部分（排液側）で確認する．

❷漏血が確認できたら，返血は原則行わない（感染防止のため）．

溶血 【33回】 ★★

〈原因〉

❷配管内消毒液の残存

❷塩素化合物の透析液への混入

❷配管材劣化による有害成分の混入

❷水処理装置の故障による希釈水の汚染

❷液温監視装置の故障による透析液温の上昇

❷脱血不良：血球は陰圧に弱いため

抜針事故

❷事故時には輸血の必要性を判断する．

❷意識障害があり，治療中不穏な動きをする患者のみ拘束を行う：全員には行わない．

❷回路接続部の離脱防止のためルアーロックを採用する．

❷引っ張りを軽減するため長い回路を採用する．

❷原因として固定不良がある．

誤穿刺

❷誤穿刺をした際は患者の信頼を失うことになるため，繰り返しの失敗の際は別のスタッフに交代をした方がよい．

静脈圧上昇・下降の原因 【34 回】 ━━━━━━━━━━━━━━━ ★★

静脈圧上昇	静脈圧下降
・静脈側ドリップチャンバ内の血液凝固 ・返血針の固定がずれて血管抵抗が増えた ・静脈チャンバから返血針までの血液回路の折れ曲がり ・除水過多やシャント再循環によって回路内が過濃縮した ・血栓やタンパク物質がチャンバメッシュ or 針先に詰まった ・血流速度を上げた ・輸血を開始した	・患者が体位変換し，血管抵抗が下がった ・返血針の抜針 ・生理食塩液などを補液した（血液の粘稠度が下がった） ・血流速度を下げた ・脱血不良である ・ダイアライザ内の血液凝固

トラブルと原因まとめ 【35 回】 ━━━━━━━━━━━━━━━ ★★

❷漏血：膜破損，ダイアライザからの血球成分の漏血監視

❷空気誤入：補液ラインの閉鎖忘れ，穿刺針と回路の接続不良

❷気泡混入：送血針脱落

❷血液側回路内圧上昇：血液凝固

❷血液側回路内圧低下：脱血不良

❷透析液濃度異常：電気伝導度計の故障

❷動脈圧上昇：ダイアライザ内血液凝固

❷動脈圧低下：脱血不良

❷口渇：高濃度透析液の使用

❷自己抜針：認知症

感染対策

❷院内感染で重要な感染症
  ・B 型肝炎
  ・C 型肝炎
  ・MRSA 感染症　　など

❷透析液ラインの洗浄には酢酸と次亜塩素酸ナトリウムを用いる．

❷透析液原水には RO 水を用いることが望ましい．

❷反復研修は必要である．

❷C 型肝炎患者には陽性であることを知らせておく．

❷HIV 感染を含め，感染症に関するスクリーニングを行っておく．

災害対策

❷患者には，透析を受けるために必要な情報を常に携帯するように指導する．

❷透析中に地震が発生したら，落下物から身を守り，揺れが収まるまで待つよう患者を教育する．

❷透析スタッフは，災害時には上級者に情報を集約し，その指示に従う．

❷透析スタッフは災害時の通勤手段をあらかじめ用意しておく．

●災害が発生したら，透析施設に連絡し判断を仰ぐよう患者を教育する．

●患者ベッドのキャスターのロックを行う．

●透析装置のキャスターはフリーとする（ロックしない）．

●透析装置，供給装置の配管はフレキシブルホースとする．

臨床工学技士国家試験問題 Check UP!

問題 1 □□□ 31P79

維持血液透析における尿素の Kt/V について誤っているのはどれか．

1. 透析量を表す．
2. 1.2 以上が推奨されている．
3. 蛋白異化率に比例する．
4. 生命予後規定因子である．
5. 無次元数である．

問題 4 □□□ 29P74

血液透析の指標として，他のものと異なる次元をもつのはどれか．

1. クリアランス
2. Kt/V
3. 血流量
4. 透析液流量
5. 総括物質移動面積係数

問題 2 □□□ 27A78

透析治療において二次性副甲状腺機能亢進症の発症に関係があるのはどれか．

a. 血清リン濃度の低下
b. 活性型ビタミン D の欠乏
c. 血清カルシウム濃度の低下
d. 抗利尿ホルモンの分泌抑制
e. 副甲状腺ホルモンの分泌抑制

1. a, b　2. a, e　3. b, c　4. c, d　5. d, e

問題 5 □□□ 34A78

不均衡症候群の対処法として誤っているのはどれか．

1. 血液流量を低く設定する．
2. マンニトールを点滴する．
3. 短時間頻回透析を行う．
4. 低ナトリウム透析液を使用する．
5. 小面積のダイアライザを使用する．

問題 3 □□□ 31A19

長期透析患者にみられる合併症でないのはどれか．

1. 腎性貧血
2. アミロイドーシス
3. 二次性副甲状腺機能低下症
4. 活性型ビタミン D 欠乏
5. 掻痒症

問題 6 □□□ 35P76

標準体重 60 kg の無尿の血液透析患者の食事療法で正しいのはどれか．

a. 食塩 15 g/日
b. リン 800 mg/日
c. タンパク質 70 g/日
d. カリウム 4000 mg/日
e. エネルギー 1000 kcal/日

1. a, b　2. a, e　3. b, c　4. c, d　5. d, e

問題 7　　□ □ □　　35P77

透析量を表す尿素の治療指標はどれか.

1. 除去率
2. Kt/V
3. 週平均濃度（TAC）
4. タンパク異化率（PCR）
5. 除去量

問題 8　　□ □ □　　24A79

抜針事故で誤っているのはどれか.

1. 事故時には輸血の必要性を判断する.
2. 意識障害のある患者は全員拘束する.
3. 回路接続部の離脱防止のためルアーロックを採用する.
4. 引っ張りを軽減するため長い回路を採用する.
5. 原因として固定不良がある.

問題 9　　□ □ □　　25P79

血液浄化療法中に体内に空気が流入した際の対処法で誤っているのはどれか.

1. 酸素吸入を行う.
2. 血管拡張薬を注射する.
3. 血液ポンプを停止する.
4. 高気圧酸素治療を検討する.
5. 左側臥位にして頭を低くする.

問題 10　　□ □ □　　27P79

透析中の溶血の原因で誤っているのはどれか.

1. 配管内消毒液の残存
2. 抗凝固薬注入量の過多
3. 配管材劣化による有害成分の混入
4. 水処理装置の故障による希釈水の汚染
5. 液温監視装置の故障による透析液温の上昇

問題 11　　□ □ □　　27A79

血液浄化法の災害対策で誤っているのはどれか.

1. 患者には，透析を受けるために必要な情報を常に携帯するよう指導する.
2. 透析スタッフは，災害時には上級者に情報を集約し，その指示に従う.
3. 透析スタッフは災害時の通勤手段をあらかじめ用意しておく.
4. 災害が発生したら，透析施設に連絡せず患者個々の判断で対処してもらう.
5. 透析中に地震が発生したら，落下物から身を守り，揺れが収まるまで待つよう患者を教育する.

問題 12　　□ □ □　　25P42

透析装置（コンソール）の日常点検項目はどれか.

a. バスキュラーアクセスの状態
b. 漏れ電流
c. 除水ポンプの精度
d. パトランプの点灯
e. バッテリの残量

1. a, b, c　　2. a, b, e　　3. a, d, e
4. b, c, d　　5. c, d, e

問題 13　　□ □ □　　30A77

透析監視項目の異常とその原因との組合せで誤っているのはどれか.

1. 漏血 ──────── 透析装置ヒータの故障
2. 空気誤入 ──────── 補液ラインの閉鎖忘れ
3. 血液側回路内圧上昇 ── 血液凝固
4. 血液側回路内圧低下 ── 脱血不良
5. 透析液濃度異常 ──────── 電気伝導度計の故障

問題 14　　□ □ □　　24A78

透析液の質を確保するために測定する項目はどれか.

a. エンドトキシン濃度
b. 透析液ナトリウム濃度
c. 二酸化炭素分圧
d. IL-6 濃度
e. 生菌数

1. a, b, c　　2. a, b, e　　3. a, d, e
4. b, c, d　　5. c, d, e

血液透析施行中に静脈圧下限警報が鳴った．原因として考えられないのはどれか．

1. 脱血不良
2. ダイアライザ内の血液凝固
3. 静脈側ドリップチャンバ内の血液凝固
4. 動脈側回路の折れ曲がり
5. 静脈側回路の穿刺針からの脱落

血液透析監視装置が漏血を検出した際の対処法で誤っているのはどれか．

1. 膜の破損によるリークがないか調べる．
2. 透析液の流量が正しいか確認する．
3. 脱血不良が起きていないか確認する．
4. 漏血の検知器が正しく動作しているか調べる．
5. 目視で確認できない場合は試験紙で判断する．

血液透析で正しいのはどれか．

1. いかなる場合も抑制帯を用いて抜針事故を防ぐ．
2. 透析液温度が異常上昇すると溶血を起こす．
3. 誤穿刺をしても術者を交代せず責任を全うする．
4. 空気誤入時には患者を右側臥位とする．
5. 多人数用透析液供給装置では透析液濃度を連続監視する装置を1個以上備える．

血液透析施行中，静脈圧上限警報が鳴った．原因として考えられないのはどれか．

a．脱血不良
b．ダイアライザ内の血液凝固
c．静脈側ドリップチャンバ内の血液凝固
d．静脈側回路の折れ曲がり
e．静脈側穿刺針の穿刺不良

1. a, b　2. a, e　3. b, c　4. c, d　5. d, e

透析中のトラブルとその考えられる原因との組合せで誤っているのはどれか．

1. 口渇 ——————— 低濃度透析液の使用
2. 漏血 ——————— 膜破損
3. 回路内凝血 —— 抗凝固薬不足
4. 空気誤入 —— 穿刺針と回路の接続不良
5. 自己抜針 —— 認知症

糖尿病を原疾患とする患者が血液透析を受けている．ドライウェイトは 60 kg であり，4 時間で 4 L の除水を行っている．開始時 140/90 mmHg であった血圧が，透析 3 時間後に 80/50 mmHg となった．
このときの対応として正しいのはどれか．

1. 頭部挙上
2. 除水速度増加
3. 降圧薬の内服
4. 透析液加温
5. 生理食塩液の投与

維持透析患者の食事で摂取制限に特に留意すべき成分はどれか．

a．脂 質
b．リ ン
c．塩 分
d．カリウム
e．炭水化物

1. a, b, c　2. a, b, e　3. a, d, e
4. b, c, d　5. c, d, e

慢性維持血液透析の治療指標で無次元数はどれか．

1. 除去量
2. クリアスペース
3. Kt/V
4. タンパク異化率
5. 腎相当クリアランス

腎性貧血の治療薬として用いられるのはどれか.

1. 活性型ビタミンD
2. カルシウム拮抗薬
3. カルシウム受容体作動薬
4. 遺伝子組換えヒトエリスロポエチン
5. アンジオテンシン変換酵素阻害薬

慢性維持血液透析の回路に空気混入が生じる原因となるのはどれか.

a. 脱血側穿刺針と血液回路の接続不良
b. 脱血側サンプリングポートへの刺入ミス
c. 生理食塩液ラインの閉鎖忘れ
d. 抗凝固薬注入ラインとシリンジとの接続不良
e. ダイアライザ入口部と血液回路の接続不良

1. a, b, c　　2. a, b, e　　3. a, d, e
4. b, c, d　　5. c, d, e

血液透析中の血圧低下時の処置として適切なのはどれか.

a. 下肢挙上
b. 血流量増加
c. 除水速度増加
d. 生理食塩液補充
e. マンニトール注射液投与

1. a, b, c　　2. a, b, e　　3. a, d, e
4. b, c, d　　5. c, d, e

〈解答〉問題 1-3, 問題 2-3, 問題 3-3, 問題 4-2, 問題 5-4, 問題 6-3, 問題 7-2, 問題 8-2, 問題 9-2, 問題 10-2, 問題 11-4, 問題 12-3, 問題 13-1, 問題 14-2, 問題 15-3, 問題 16-2, 問題 17-1, 問題 18-1, 問題 19-1, 問題 20-5, 問題 21-4, 問題 22-3, 問題 23-4, 問題 24-3, 問題 25-1

2. 腹膜透析療法

血液浄化療法装置
第2版
　p.195〜196
　p.208〜209
最新 血液浄化療法装置
　p.197〜206

（1）目的と原理

特徴　【36回】　　　　　　　　　　　　　　　　　　　　　　★★
- 腹膜透析は透析全体の約3.2%の普及率である.
- 残腎機能の保持に優れる.
- 生体膜による血液浄化療法である.
- 原理は，拡散，浸透，リンパ管再吸収
  ・尿毒素除去の原理は拡散現象：腹腔内の透析液におけるクリアランスは一定ではない.
  ・除水原理は浸透（濃度差）：濃度差を決定するのは，ブドウ糖（イコデキストリン）.
  ・濃度の均衡が同じになるにつれて水分の移動がなくなるため，腹腔内への除水スピードは一定ではない.
  ・リンパ管再吸収：リンパ管より1.0〜2.0 mL/分の一定速度で水分の再吸収が行われている.
- 血液透析と比べ，中・大分子量物質の除去に優れる.
- 循環動態への影響が少ない.
- 不均衡症候群が起こらない.
- バスキュラーアクセスは不要である.
- 腹膜炎の危険性が大きい.
- 自動灌流装置にて透析液の入れ替えを自動で行う：自動灌流装置は除水量の制御はできない.
- 酸性の透析液は腹膜機能の低下や生体適合性などの問題あり.
- 抗凝固剤は使用しない.

腹膜透析液の特徴　【37回】　　　　　　　　　　　　　　　　　★★
- カリウムは入っていない.
- 除水目的にて，ブドウ糖（イコデキストリン）が入っている.
- アルカリ化剤として，乳酸（ラクテート）が用いられる.
  ※組成表は透析液の項目（1．血液透析療法（8）透析液，補充液，置換液，p.107）参照.

（2）合併症　【35回】　　　　　　　　　　　　　　　　　★★
- 被囊性腹膜硬化症
- 細菌性腹膜炎
- 腹腔ヘルニア
- 胸水貯留
- 陰囊水腫
- 低タンパク血症
- 腰痛

- ❯肥満
- ❯高脂血症
- ❯カテーテル出口部感染

臨床工学技士国家試験問題　Check UP!

問題 1　□□□　26A77

CAPD で正しいのはどれか.

1. 循環動態に対する影響が小さい.
2. 透析不均衡症候群への注意が必要である.
3. 酸性透析液は生体適合性の面で有利である.
4. 浸透圧は透析液中のカリウム濃度で調整する.
5. 小分子量物質の除去効率は血液透析よりも高い.

問題 4　□□□　35A79

腹膜透析患者の合併症はどれか.

- a. 血圧の急激な低下
- b. スチール症候群
- c. ソアサム症候群
- d. カテーテル出口部感染
- e. 被嚢性腹膜硬化症

1. a, b　2. a, e　3. b, c　4. c, d　5. d, e

問題 2　□□□　31P75

血液透析と比べた連続的腹膜透析の特徴として正しいのはどれか.

- a. 小分子溶質の除去に優れる.
- b. 残存腎機能の保持に優れる.
- c. バスキュラーアクセスが不要である.
- d. 心血管系への負担が少ない.
- e. 長期透析が可能である.

1. a, b, c　2. a, b, e　3. a, d, e
4. b, c, d　5. c, d, e

問題 5　□□□　36A79

HD に比べた CAPD の特徴として正しいのはどれか.

- a. 小分子溶質の除去に優れる.
- b. 循環系への影響が少ない.
- c. 不均衡症状が起きにくい.
- d. 20 年以上の長期透析が可能である.
- e. 糖負荷量が少ない.

1. a, b　2. a, e　3. b, c　4. c, d　5. d, e

問題 3　□□□　27P74

CAPD について誤っているのはどれか.

1. 在宅治療で使われる.
2. 溶質除去の原理は吸着である.
3. 血液透析に比べ中分子量物質の除去に優れる.
4. 被嚢性腹膜硬化症を起こすことがある.
5. 除水は透析液中のブドウ糖濃度に影響される.

問題 6　□□□　37A79

腹膜透析液の濃度で正しいのはどれか.

1. ナトリウムイオン濃度　150 mEq/L
2. カリウムイオン濃度　2.0 mEq/L
3. カルシウムイオン濃度　2.5 mEq/L
4. ブドウ糖濃度　100 mg/dL
5. 酢酸イオン濃度　8.0 mEq/L

〈解答〉問題 1-1，問題 2-4，問題 3-2，問題 4-5，問題 5-3，問題 6-3

3. アフェレシス療法

（1）アフェレシス療法

血液浄化療法装置
第2版
　p.213〜237
最新 血液浄化療法装置
　p.209〜229

○ **血漿交換療法，血漿吸着療法**【36回】　　　　　　　　★★

❷ 免疫疾患の治療に用いられる.

❷ 血球は血漿分離膜を通過できない.

❷ 血漿を加温すると濾過率は上昇する.

❷ 単純血漿交換療法では置換補充液として新鮮凍結血漿（FFP）を用いる.

❷ 単純血漿交換療法では血漿分離器を使用する.

❷ 二重濾過血漿分離交換療法では置換補充液を節約できる.

❷ 二重濾過血漿分離交換療法では血漿分離器と血漿成分分画器を用いる.

❷ 血漿成分分画器はアルブミンとグロブリン分画の分離に利用される.

❷ 血漿吸着療法では血漿分離器と血漿成分吸着器を用いる.

❷ 血漿分離膜の素材の一部は，ポリビニルアルコール（PVA）が使われている.

❷ 適応疾患
  ・ギラン・バレー症候群
  ・重症筋無力症
  ・劇症肝炎：単純血漿交換療法，血漿吸着療法の順に考慮する.
  ・全身性エリテマトーデス
  ・家族性高コレステロール血症
  ・悪性関節リウマチ
  ・薬物中毒
  ・多発性骨髄腫

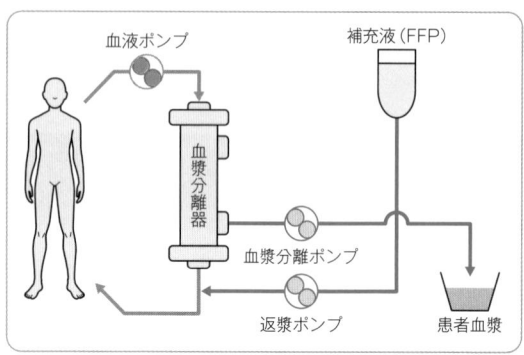

単純血漿交換療法（PE）治療イメージ

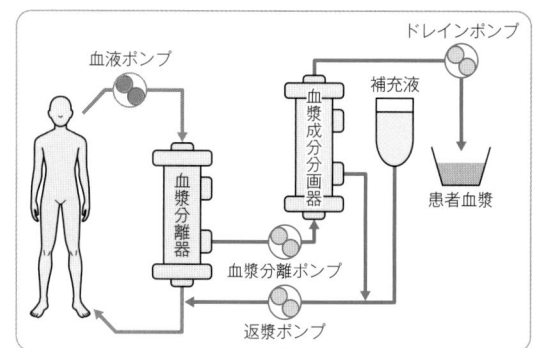

二重濾過血漿分離交換療法（DFPP）治療イメージ

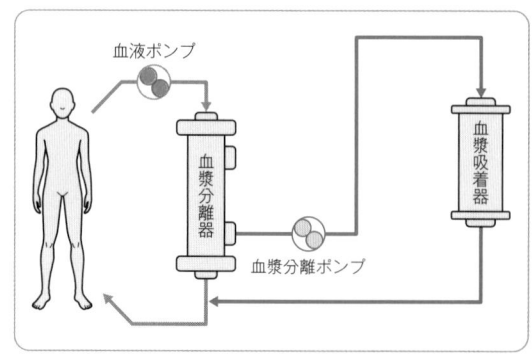

血漿吸着療法（PA）治療イメージ

アフェレシスの監視装置

- 重量バランス計
- 気泡検知器
- 漏血検知器
- 回路内圧計
- 血液流量計

吸着カラムの種類および適応疾患 【35 回】 ━━━━━━━━━━━━━━━━ ★★

灌流方式	吸着材・リガンド	吸着対象物質	適応疾患
血漿吸着	デキストラン硫酸	LDL VLDL コレステロール	家族性高コレステロール血症 巣状糸球体硬化症 閉塞性動脈硬化症
	スチレン・ジ・ビニルベンゼン共重合体	ビリルビン 胆汁酸	術後肝不全 劇症肝炎
	石油ピッチ系活性炭	ビリルビン 胆汁酸 昏睡物質	肝性昏睡
	トリプトファン	抗アセチルコリンレセプター抗体 免疫複合体	重症筋無力症 多発性硬化症 ギラン・バレー症候群
	フェニルアラニン	リウマチ因子 免疫複合体 抗 DNA 抗体	悪性関節リウマチ 多発性硬化症 ギラン・バレー症候群 全身性エリテマトーデス
血液吸着	ヘキサデシル基	β_2 ミクログロブリン	透析アミロイド症
	石油ピッチ系活性炭	薬物 ビリルビン 胆汁酸 クレアチニン	薬物中毒 肝性昏睡
	ポリミキシン B	エンドトキシン	敗血症 エンドトキシン血症
	酢酸セルロースビーズ	顆粒球	潰瘍性大腸炎 クローン病
	ポリエチレンテレフタレート不織布	白血球 リンパ球	潰瘍性大腸炎 関節リウマチ
	デキストラン硫酸	LDL	閉塞性動脈硬化症

○ 血液浄化器の種類 ────────────────────────── ★

フィルタ	孔径	備考
血漿分離膜	100 nm	患者血液を血球と血漿に分離する
血漿成分分画器	数十 nm	血漿分離器で血漿と血球を分離した後，血漿内のアルブミンとグロブリン分画に分ける
血漿吸着器		血漿分離器で血漿と血球を分離した後，血漿内の不要物質を選択的に吸着除去する
透析膜	数〜数十 nm	
限外濾過膜	1〜2 nm	
逆浸透膜	0.5〜1.0 nm（5〜10Å）	

○ 置換補充液を必要とする血液浄化療法 【37 回】 ──────── ★★

❷ 単純血漿交換療法（FFP：新鮮凍結血漿，2000〜4000 mL/回使用）

❷ 二重濾過血漿分離交換療法（アルブミン製剤，100〜200 mL/回使用）

❷ 血液濾過（HF，CHF）

❷ 血液透析濾過（HDF，CHDF）

❷ 無酢酸透析（AFBF：アセテートフリー・バイオフィルトレーション）：個人用透析器による無酢酸透析では，炭酸水素ナトリウムを置換補充液として使用する．

問題 1　□□□　22A79

単純膜濾過血漿交換法に用いるのはどれか.

1. 血漿分画器
2. 血漿吸着器
3. 血漿冷却器
4. 遠心分離器
5. 血漿分離器

問題 4　□□□　29P77

アフェレシスにおいて補充液を必要とする治療法はどれか.

a. 単純血漿交換
b. 直接血液灌流
c. 血球成分除去療法
d. 血漿吸着療法
e. 二重濾過血漿分離交換法

1. a, b　2. a, e　3. b, c　4. c, d　5. d, e

問題 2　□□□　27A75

血液浄化について正しい組合せはどれか.

a. 血漿吸着―――――全血から分離した血球成分を吸着器に灌流する.
b. 血液濾過―――――全血から逆浸透膜を用いて濾液を除去する.
c. 細胞分離―――――血液中の細胞成分を除去する.
d. 直接血液吸着―――全血を直接吸着器に灌流する.
e. 血液透析―――――膠質浸透圧差を利用して除去する.

1. a, b　2. a, e　3. b, c　4. c, d　5. d, e

問題 5　□□□　31A76

血漿交換療法について正しいのはどれか.

a. 自己免疫疾患の治療に用いられる.
b. 血小板は血漿分離膜を通過する.
c. 血漿を冷却すると濾過率が上昇する.
d. 単純血漿交換療法では置換補充液にリンゲル液を用いる.
e. 二重濾過血漿分離交換法は血漿成分分画器を用いる.

1. a, b　2. a, e　3. b, c　4. c, d　5. d, e

問題 3　□□□　28A19

血漿交換療法が適応となる疾患・病態でないのはどれか.

1. 劇症肝炎
2. 逆流性食道炎
3. 全身性エリテマトーデス
4. 家族性高コレステロール血症
5. ギラン・バレー症候群

問題 6　□□□　28A76

血球成分除去療法の適応で正しいのはどれか.

1. エンドトキシン血症
2. 透析アミロイド症
3. 閉塞性動脈硬化症
4. 重症筋無力症
5. 潰瘍性大腸炎

患者血液をカラムに直接灌流する治療でないのはどれか.

1. 石油ピッチ系活性炭を用いた薬物吸着
2. ポリミキシン B を用いたエンドトキシン吸着
3. トリプトファンを用いた抗アセチルコリンレセプタ抗体吸着
4. デキストラン硫酸を用いた LDL 吸着
5. 酢酸セルロースビーズを用いた顆粒球除去

置換補充液を必要とする治療はどれか.

a. 血球成分除去（CAP）
b. 腹水濾過濃縮再静注（CART）
c. 持続的血液透析濾過（CHDF）
d. 二重濾過血漿分離交換（DFPP）
e. 血漿吸着（PA）

1. a, b　2. a, e　3. b, c　4. c, d　5. d, e

2 つの分離器を同時に使用するアフェレシス治療はどれか.

a. 血漿吸着法
b. 単純血漿交換法
c. 血液直接灌流法
d. 血球成分除去療法
e. 二重濾過血漿分離交換法

1. a, b　2. a, e　3. b, c　4. c, d　5. d, e

〈解答〉問題 1-5，問題 2-4，問題 3-2，問題 4-2，問題 5-2，問題 6-5，問題 7-3，問題 8-2，問題 9-4

過去10年間（第28〜37回）の臨床工学技士国家試験出題傾向

(科目は令和3年版国試出題基準に準拠)

科目		平均出題数
大見出し	小見出し	
医学概論	(1) 臨床工学に必要な医学的基礎	10.9
	(2) 人体の構造及び機能	10.4
臨床医学総論	(1) 内科学概論	1.5
	(2) 外科学概論	3.0
	(3) 呼吸器系	3.6
	(4) 循環器系	3.6
	(5) 内分泌・代謝系	1.6
	(6) 神経・筋肉系	0.9
	(7) 感染症	2.3
	(8) 腎臓・泌尿器・生殖器系	2.8
	(9) 消化器系	2.1
	(10) 血液系	1.4
	(11) 麻酔科学	1.3
	(12) 救急・集中治療医学	1.6
	(13) 臨床生理学検査	
	(14) 免疫・移植	0.9
医用治療機器学	(1) 治療の基礎	1.0
	(2) 各種治療機器	10.5
生体計測装置学	(1) 計測工学	3.1
	(2) 生体電気・磁気計測	3.0
	(3) 生体の物理・化学現象の計測	6.0
	(4) 医用画像計測	3.9
医用機器安全管理学	(1) 医用機器の安全管理	14.6
生体機能代行装置学	(1) 呼吸療法装置	10.5
	(2) 体外循環装置・補助循環装置	11.2
	(3) 血液浄化療法装置	11.3
医用電気電子工学	(1) 電気工学	12.0
	(2) 電子工学	10.0
	(3) 情報処理工学	11.4
	(4) システム工学	1.5
医用機械工学	(1) 医用機械工学	9.8
生体物性材料工学	(1) 生体物性	7.2
	(2) 医用材料	5.1
合計		180

過去 10 年間（第 28〜37 回）の回数別臨床工学技士国家試験合格者数・合格率

回数	実施日	受験者数（人）	合格者数（人）	合格率（%）
第 28 回	平成 27（2015）年 3 月 1 日	2,848	2,370	83.2
第 29 回	平成 28（2016）年 3 月 6 日	2,739	1,987	72.5
第 30 回	平成 29（2017）年 3 月 5 日	2,947	2,413	81.9
第 31 回	平成 30（2018）年 3 月 4 日	2,737	2,017	73.7
第 32 回	平成 31（2019）年 3 月 3 日	2,828	2,193	77.5
第 33 回	令和 2（2020）年 3 月 1 日	2,642	2,168	82.1
第 34 回	令和 3（2021）年 3 月 7 日	2,652	2,232	84.2
第 35 回	令和 4（2022）年 3 月 6 日	2,603	2,096	80.5
第 36 回	令和 5（2023）年 3 月 5 日	2,706	2,311	85.4
第 37 回	令和 6（2024）年 3 月 3 日	2,630	2,090	79.5

索　引

臨床工学技士国家試験 Check UP!
生体機能代行装置学
（呼吸療法装置/体外循環装置・補助循環装置/血液浄化療法装置）
2025　　　　　　　　　　　ISBN978-4-263-73234-2

2022 年 10 月 10 日　第 1 版第 1 刷発行
2023 年 9 月 10 日　第 2 版第 1 刷発行
2024 年 9 月 10 日　第 3 版第 1 刷発行

編　集　臨床工学技士国家試験研究会

発行者　白　石　泰　夫

発行所　医歯薬出版株式会社

〒113-8612　東京都文京区本駒込 1-7-10
TEL.（03）5395-7620（編集）・7616（販売）
FAX.（03）5395-7603（編集）・8563（販売）
https://www.ishiyaku.co.jp/
郵便振替番号 00190-5-13816

乱丁, 落丁の際はお取り替えいたします.　　　　　印刷・真興社／製本・明光社
© Ishiyaku Publishers, Inc., 2022, 2024.　Printed in Japan